JN080074

はじめに

「歴史の大ウソ」を打破する日本の技術

日本の繁栄は、平等性の高い日本文明と技術力にあります。

特に戦後は世界のトップを行く日本人の技術力と勤勉さによって、世界でトップの発展を遂げました。

その中心は、電機（電器）産業、電子産業であり、あの松下幸之助も、事業を始めた当初は「二股（ふたまた）コンセント」でした。このことが示すように戦後の電器産業は、かなり初歩的な段階だったのです。

しかし高度成長期の1960年代から1990年にかけて、日本の工業は非常な進歩を遂げます。日本人の努力によって、家電製品、通信機器などを中心として世界でもトップクラスの技術力に達し、1980年代には「Japan as No.1」と言われました。あまりの急激な日本製品の世界覇権に対して、「ジャパン・バッシング」が起こったほどです。

それが1991年のバブルの崩壊後あたりから、日本の企業のみならず、日本人全体が自信を失って後ろ向きになってしまいました。リサイクルとか、ダイオキシンだとか、環境ホルモンなどの問題で大騒ぎして、「今後は縮小の時代だ」という意見がもっぱらで、「新しいビジネスなどない」などと言い切っていました。

対照的にアメリカでは、1995年頃、アマゾン、グーグル、フェイスブックなどのその後、世界をけん引するビックテックが次々と創業します。

日本ではそれ以降も、世界およそ200カ国のうちで経済成長が一番低いという、極端な状況に陥ったのはご存じの通りです。この急速な低滞は日本らしいといえば、とても日本らしい。そうした状況で、もう30年も経ってしまったわけです。

現在、講演会などで経営者や大学関係者などにお目にかかると、皆さんから経済の施策や会社の運営などが「どうもうまく行かない」「どうしてうまく行かないのでしょうか?」という質問をよく受けます。

かつて「失われた10年」といわれたように、まさか30年以上も不況が続くとは思いもよらなかったのでしょう、誰もが「どうしたらいいのだろうか?」と答えを求めるのも無理はありません。

私なりにその答えを出したのが本書です。

日本復活のヒントは歴史にあります。もっというと世界でも優れた技術の歴史にあり、今の日本人もその歴史を継承しているという事実です。「知られざる技術」の歴史をひもとき、日本人が自信を取り戻すことこそが肝要なのです。世に流布した「歴史の大ウソ」に欺(あざむ)かれてはなりません。

と同時に失敗した「ざんねんな技術」が、なぜ残念なのかの法則をぜひとも知っていただきたい。技術の低迷の理由が必ずしも技術そのものにあるわけではないからです。

本書を読むことにより、読者には目からウロコの技術を知って「ああそうか、これが日本の強みか」と、本来の自信を取り戻すきっかけを得ていただけたなら、これにまさるよろこびはありません。

02 縄文時代に土器に火焦げのあとがあった！

03 「天皇と国民」という「国体」はどう発明されたのか

第2章　日本侵略を防いだ奈良時代から受け継がれた匠の力

第3章 世界最先端だった江戸の翻訳文化が示す平等社会

第4章 日本一国が「近代化」に成功した理由

第2部 ざんねんな技術

第5章 挫折した3つの「夢の技術」

第6章 直ちに中止すべきざんねんな技術

第7章 日本の発展を阻む「科学の敵」

20 日本の技術力の敵

おわりに

第1部 日本の知られざる技術の真髄

第1章 技術で世界をリードした日本の旧石器・縄文時代

01

1万6000年前に日本の石器が大陸に輸出されていた!

4万年前の遺跡が約1万カ所

「日本人と技術」ということを考えるさいに、それがどういう構造で成立しているかという、「構造論」を知ることが極めて大切です。

そこで重要なのは歴史です。それをどこから語り起こすかというと、紀元前5万年の昔にさかのぼります。

本書のような経済や技術を記述した本で、これほど遠い時代から入るのは奇異なことと思われるかもしれませんが、決してそうではありません。

日本の本質というものは、はるか遠い昔から現在にいたるまで非常に凝縮されたかたちで日本社会の中に存在し続けています。この永続的な共通点を、知っていただきたいのです。

「日本文化」といえるものは、旧石器時代（5万年前から土器が見つかった1万6500年前）から確認することができます。遺跡の数も世界一多く約1万カ所以上。そのうち4万年前の遺跡が確定しているだけでも約8000カ所もあります。遺跡が発見されてはいても、推定年代が確定していないものも多いのです。なかには推定12万年前のものもあります。そうした旧石器時代のものではないかと思われる遺跡数は1万3000カ所にものぼります。あと10年ほど経てば、年代が確定する遺跡が多数出てくることでしょう。

したがって現在確定しつつある遺跡だけでも、4万年前には日本人が日本列島に住み、ある程度の村落を形成していたことがわかります。、北海道や東北地方を中心に、人口を保った集落が1万カ所前後あったと言えます。これは世界で一番大規模です。

それなのに日本の教科書には、そのような記載は一切ありません。なぜなら文部科学省が管轄する教科書検定には、「近隣諸国条項」という非常に厳しい縛りがあるからです。

これは昭和56年度の教科書検定で、日本軍の中国での行動が「侵略」から「進出」に書き換えさせられたと新聞やテレビが報じたため、中国や韓国から激しい抗議を受けたことにより設けられた条項です。しかし、「侵略」が「進出」に書き換えられた事実はなく、誤報でした。

それにもかかわらず、以来「近隣のアジア諸国との間の近現代の歴史的事象の扱いに国際理解と国際協調の見地から必要な配慮がされていること」が求められるようになったのです。

平たく言えば、中国や朝鮮より文化が早いとか、優れているとかを絶対に教科書に書くな、という縛りです。そのような記述と判定されれば検定が通らない。

ですから「日本では4万年前にすでに1万カ所以上の遺跡が確認されている」などという話は、残念ながらほとんどの日本人に知られていません。

しかしこの古い遺跡を見れば、日本および日本人の特徴というものが、このときすでにでき上がっていることがわかるのです。

この当時の日本の遺跡は、肉食をしている狩猟民族であるにもかかわらず定住型です。石器をつくるための工場から、素材を確保するルートまでも確保されています。この集落のあり方そのものに、私は非常に日本的特徴を感じます。

また、当時の遺跡の数を他の国と比べると——別に朝鮮の悪口を言うわけではありませんが——日本の1万カ所以上の遺跡に相当する遺跡は朝鮮に400しかない。ここからもうかがえるように、文化のレベルが違うわけです。

一例をあげると、旧石器時代の石器。この多くが大陸に輸出されています。当時の大陸の石器よりも日本の石器はずっと優れていたので、中国の石器時代の遺跡からも、日本の石器が見つかっているのです。

日本の教科書は「大陸で発達した文化が奈良時代くらいに日本に来た」と洗脳していますが、明らかな錯誤です。

奈良時代よりもずっと以前の旧石器時代には、日本は東アジア一の先進技術を持っていた。その文化の蓄積は、奈良時代に中国にならって律令制度を取り入れたとかいうレベルとは全然違うものです。そのことは後で詳しく述べます。

テレパシーが大前提の日本語

日本語は、唯一琉球語という例外があるだけで、世界のあらゆる言語に類似語がありません。したがって日本語・琉球語をひとつのまとまりとすると、世界で唯一の言語になる。

その特徴は非常にはっきりしていて、第一に会話をするときに伝えるべき内容の8割ぐらいしか言わない、ということです。

たとえば、まず「主語がない」。「私が」とか、英語でいうところの「I」がない。あるいは極端に少ない。

それから時制についても、過去のことなのか、現在のことなのか、あまりはっきりと言わない。

英語を勉強した人はよくご存じでしょうが、完了形にもいろいろあります。あるいはラテン語などは、語尾がすごく変化します。動詞によっては、24個も語尾が変わる例もあるのに、日本語にはそれもない。ある意味、日本語は非常に曖昧(あいまい)な言語なのです。

そんな曖昧なもので、どうして言葉として成立するかというと、日本人同士がテレパシーを持っているからです。日本人はみなまでいうことを嫌います。言語化しない部分は、テレパシーで補う。世界の言葉とはまったく逆です。

たとえばアメリカでは、言語で明確に表現しないと、相手が何を考えているかわかりません。聞くときも同様です。

そのため理数系の学問の分野では、日本語よりも「外国語で話したほうがよい」と主張する人もいます。通常の会話ならともかく、用語の厳密性が求められる学問分野には不向きとされるからです。

テレパシーを利用している日本人の遺伝子は非常に混

ざりあっていることに由来します。私が旧石器時代における日本人の遺伝子の混ざり方を計算したところ、80回以上は混ざっていることがわかります（あくまでも概算ではありますが）。

同類交配という交配のパターンがあります。「類似の表現型を有する個体同士が、任意交配で予想されるよりも、頻繁に相互に交配する」という性的選択の一形態です。日本人というものが形成されていく旧石器時代の過程において、すでにこれを80回繰り返しているようなのです。つまり婚姻状態、親戚状態が80回も重なっているのです。ですから、日本人同士の思考体系が非常に似ているわけです。

私は工業に従事していたのでよくわかるのですが、こうした日本人の特徴は工場での従業員の働き方にも表れています。アメリカやヨーロッパ、発展途上国の工場ではふつう、誰が何をするのかお互いにしっかり事前に打ち合わせをしたうえで、仕事に取りかかります。

ところが日本の工場では、5人なら5人のグループが作業に取りかかるとき、特に確認することなく始めるのです。お互い、暗黙のうちに「この人はこうやる。自分はこれをやる」ということがわかっている。しかも誰かが仕事のミスをしたさいには、フォローします。

たとえばアメリカの工場だと、ボルトを締め忘れた工員がいても、同じ作業を担当している人は注意をしない。自分は自分の仕事をやるだけで他に関心が向きません。それなのに日本の工員は、仲間がボルトを締め忘れていることに気づく。何気なくだとしてもちゃんと全体を見ている。

もう30年以上前になります。アメリカで一番大きい化学会社の副社長と、オーガスタ(ジョージア州)のゴルフ場でゴルフをしたときのことです。

その副社長はティーショットに入る前に必ず電話しているのです。その理由を訊ねると、「自分は海外に7つ大きな工場を運営しているが、各工場の責任者に指示を与えないと工員たちは何をやるかわからない」というのです。ところが日本の工場だけは電話して指示しなくていい、と。別に私が日本人だからリップサービスしたのではなく、実際に日本の工場がそうだったのでしょう。

このような海外諸国とは違う日本の特徴は、旧石器時代からの歴史にあります。日本人のDNAの混じり方、コミュニケーションの取り方といった歴史の積み重ねが他国に見ない日本の工場における特異性という形として表れているのです。

マニュアル化で混乱する日本社会

ところが近年、アメリカやヨーロッパの文化が入ってきて、日本でも「マニュアル」をつくったりするようになりました。

現代企業の認識では、マニュアルをつくるのが当然視されています。しかしテレパシーが通じる国で、これをやってはいけません。

それから、「コンプライアンス」という名の「倫理」です。倫理の教科書は以前からありますが、最近ではコンプライアンスと称して会社でも倫理をつくる流れがある。しかし日本の文化では、倫理とは個人が自発的におこなうことであり、統一された条項を押し付けるものではありません。

コンプライアンスがどうのこうのと英語を使いはじめた途端に、現場は滞ってしまう。実際、工事現場など事故が多発している原因は、コンプライアンスなどといって言語化するところが大なのです。日本人というものは、言語に頼らず意思疎通をはかることのできる民族で、言語化するとかえって頭に入らない傾向があります。ましてや英語などで意思統一を図ることなどもってのの他です。

だから日本で、コンプライアンスや企業倫理をつくると、「机に3人並んで頭を下げる」

とか「頭を下げる時間は30秒」といった変なものができる。奇妙なルールばかりがひとり歩きして、日本人が本来守るべき倫理はないがしろにされる。これでは本末転倒です。

現在の日本の停滞は、日本のなかで5万年かけて培われてきた歴史を無視して、そこに接ぎ木みたいにヨーロッパの文化をつなげていることにあります。それをあたかも「進歩」だと誤解している。日本人として事業がうまくいかないのは、火を見るより明らかではありませんか。

2万年前の日本列島

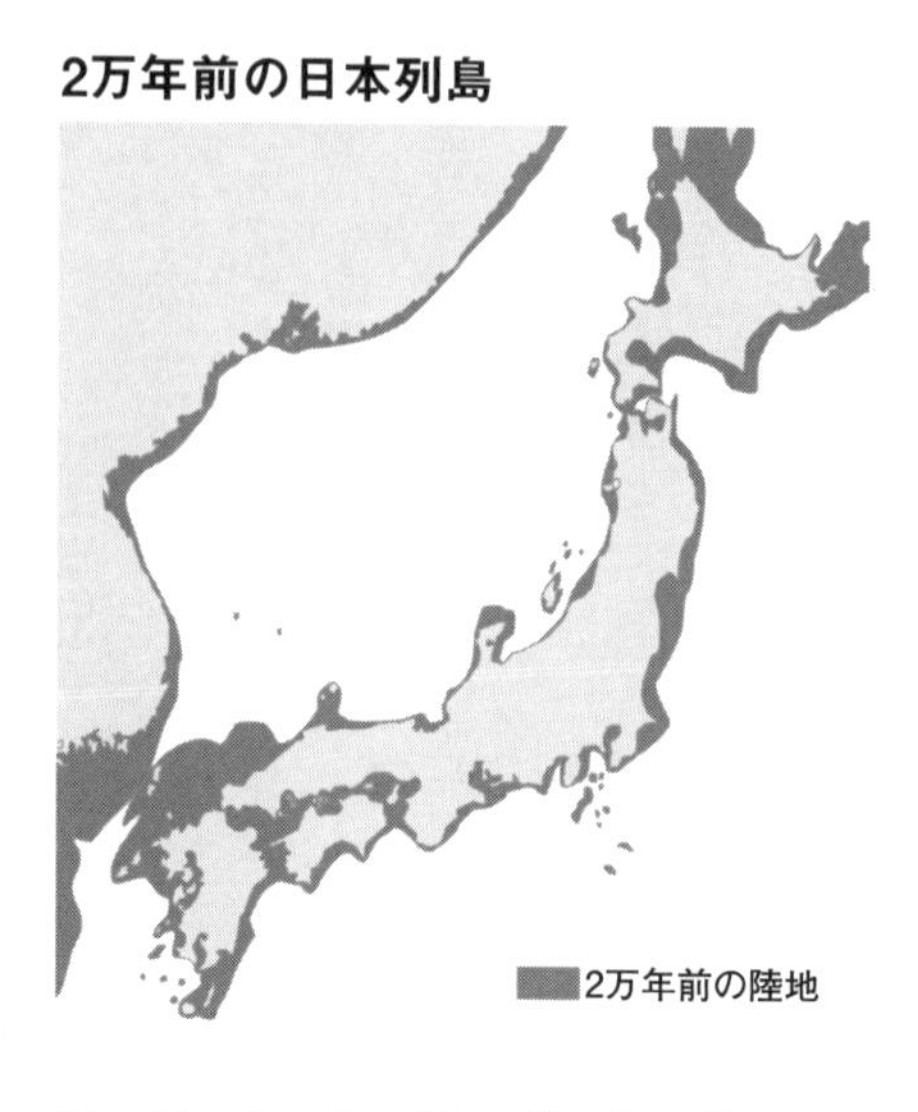

5万年来の日本人の特質を鑑みれば、契約書通りにやるという欧米文化になじむはずがないのです。考えてみれば、紀元後でさえわずか2000年にすぎない。いわんや日本の西洋化など、その10分1にも満たない。そんな短期間に日本人が変わると思うほうがどうかしています。「5万年の体質」を引き継いでいるからこそ、日本人の発想が世界のなかで異彩を放っているのです。

落とし穴にさえ独自性がある

具体的な技術の話をすると、旧石器時代の始まりの、およそ4万年以前は非常に寒い時代でした。平均気温は現在よりも8度近くも低かったと考えられています。

したがって日本列島といっても、今とはかなり様相が違います。海面もだいぶ下がっていたので、現在の間宮(まみや)海峡と樺太(からふと)と北海道をつなぐ宗谷(そうや)海峡は陸地だったし、津軽海峡は細い川程度であったのではないかと学会で提唱されています、

朝鮮半島と日本との間は現在の対馬(つしま)海峡のように海で隔てられていたようですが、四国・九州は本州と陸続きの一個の島でした。

こういう4万年前の地理的状況で日本列島に住んでいた人びとの食料は、ナウマンゾウとヘラジカでした。それらの獣は、石器で仕留めようにも、皮を突き通すことは難しい。

そこで当時の日本人たちは、集団でナウマンゾウなどを追い詰め、崖などから突き落として仕留めました。こうすれば、大型のナウマンゾウやヘラジカやヤベオオツノジカも容易に狩ることができるわけです。

ナウマンゾウなどはおよそ4、5トンもあったと推定されているので、おおよそ2000人分くらいの食料になりました。前述のようにこの頃の日本は、平均気温が現在より8

度も低く、年中雪が降っていたと考えられます。ですから、その肉を雪のなかで貯蔵すれば、保存も効く。

ところが、これは世界的な傾向ですが、3万〜2万５０００年ほど前になると、急激に寒くなります。通常、気温が低くなれば動物は大型になるはずなのに、どういうわけかナウマンゾウやオオツノジカは死に絶えてしまうのです。なかなか自然というものは難しい。

そして代わりに普通の大きさの鹿だとか、ウサギのような動物が狩猟の対象になってくる。おのずと狩りの様相も変わってきます。

この頃の日本において、狩りのさいに多用されたのが落とし穴です。旧石器時代の落とし穴は、日本でしか見つかっておりません。世界で最古の罠猟の痕跡で、やはり日本は最先端だったのです。

それも、単純な落とし穴ではありません、小さな谷筋にいくつもの穴が掘られていたりする。たとえば、神奈川県横須賀市の船久保遺跡からは、１メートル×50センチほどの長方形で、深さ2メートルほどの穴が１００メートルにわたり27基も確認されております。

この落とし穴は深くなるにしたがって幅が狭くなり、鹿などの脚がはまると抜け出せない構造を備えています。またこの穴は谷筋に沿って列をなしていて、おそらく水場に集ま

船久保遺跡

深さ2メートルの落とし穴

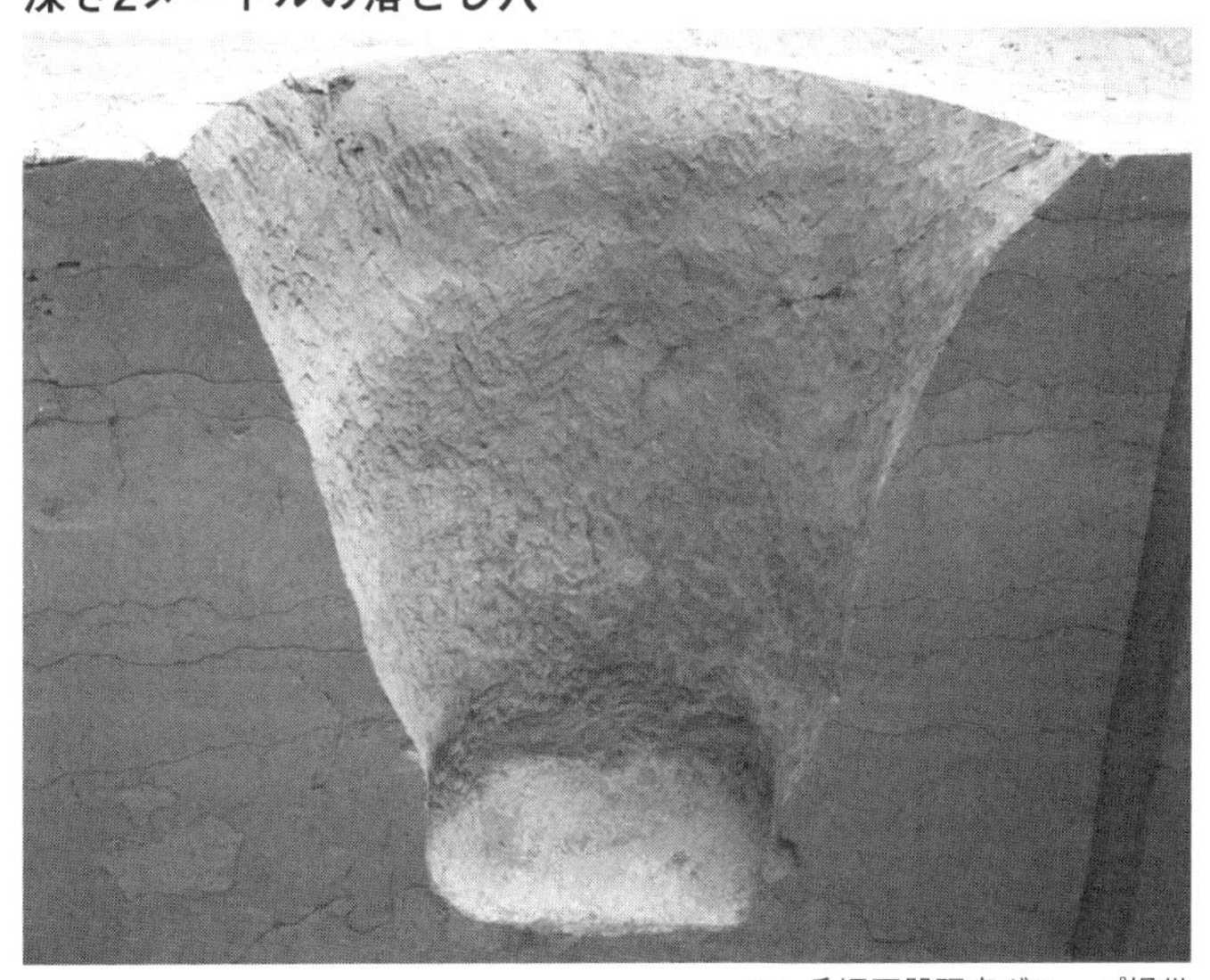

八ヶ岳旧石器研究グループ提供

る動物の動線に沿って掘られたものと推測されるのです。

これほどの規模の落とし穴をつくるには、集団の力が必要です。つまり旧石器時代の日本人はすでに、みんなで力を合わせて大規模な工事をおこなっていた、というわけです。

優れていた日本人の石器ナイフ

また日本人にとって幸運だったのは、貝がたくさん獲れたということです。

四方を海に囲まれている日本列島は、魚はもちろん獲れる。ですが、魚を獲るには海に漕ぎ出すための船が必要です。釣りをするためには、釣り針や銛(もり)などもそろえなくてはなりません。

しかし貝なら、海岸でも獲れます。しかも貝は栄養が豊富。したがって他の地域のように大型の動物がいなくなって以後、栽培した植物を食べるようになるまでの間も、日本人の食生活はものすごく豊かだったわけです。

実際、3万〜2万5000年前という時代は、気温も低く、世界中のどの地域でも非常に厳しい生活を強いられた試練が待ち受けていました。こと日本では、大きく人口を減らすこともなく、乗り切ることができたわけです。

そしてその頃の日本では、極めて優れた石器が発展しました。

たとえばナイフ。石器といえば、まず石を割り、できた鋭い切片を木の枝にくくりつけ、柄のついた道具をつくります。これが基本形です。ところが日本人の石器ナイフというものは、全然違うのです。

まず素材として硬度の高い黒曜石（こくようせき）を用います。黒曜石は普通の石に比べると、より細かく砕くことができるのです。ただし黒曜石は、どこにでもあるわけではありません。日本のなかでも黒曜石が採れるのは、大きいところでは伊豆の神津島（こうづしま）と長野の野尻湖（のじりこ）（霧ヶ峰）の2カ所です。これ以外にも北海道の置戸（おけと）や白滝（しらたき）、佐賀県の腰岳（こしだけ）などです。

その稀少な黒曜石をわざわざ手に入れ、細かく砕く。刃の大きさは3ミリか5ミリくらいのごく細かいもの。それを硬い木や動物の骨にはめ込んで、ナイフとするわけです。あたかも鉄でつくったナイフように、切れ味は素晴らしい。肉でも何でもよく切れます。黒曜石を扱う技術は、日本独特のものです。

このような日本の技術を支える背景のひとつが「流通」の確立です。

伊豆の神津島から船で黒曜石を運び、伊豆半島もしくは房総半島に陸揚げして、それから日本全国へと運びます。

黒曜石ナイフ型石器

水巻町歴史資料館提供

この時代は、大陸からの影響を受けていないから、人びとが暮らしていた集落はどちらかというと、日本列島の北方に多かった。関東から中部の山岳地帯に、多くの集落が点在していました。それらの集落には必ず工場があった。遺跡を研究すると、なかなか面白い工場があったことがわかります。いかにして石器をつくりあげたか、当時の技術力の高さが見えてきます。そういう工場の遺跡が日本国内で5000カ所も確認されているのです。

〝全体像〟が見える日本の旧石器文化

こうしてつくられた石器が、樺太経由で中国に流れたわけです。なぜわかるかといえば、石器の石の組成を見ると、神津島産の黒曜石や野尻湖産の黒曜石であることが一目瞭然（いちもくりょうぜん）だからです。したがって3万〜2万5000年前は、中国から日本に文化が来たのではなく、日本から中国へ文化が入ったことが明らかなのです。このことも教科書に書いておりません。

では、どうして日本の文化はそんなに発展していたのでしょうか？

それは単に石器の技術が発展していたのみならず、インフラなどその文化を育むための背景が成立していたからに他なりません。

黒曜石を運ぶ野尻湖からの石の運搬道路、神津島から陸揚げする港、港からの道、これらのルートがすべて解析されています。

したがって、そのルートをたどると自然と遺跡にぶつかる。だいたい地下2メートルぐらいのところに遺跡が埋まっています。関東地方ですと、関東ローム層の下。ローム層と一般土壌分のちょうど間なので、そこに狙いをつけて発掘すると出てくるのです。だから見つけやすいといえば非常に見つけやすい。

このように日本文化は全体像として類推しやすいからこそ、遺跡が見つけやすいともいえます。村がどのように分散しているかのパターンとか、輸送路が確立しているから全体像が俯瞰できる。繰り返しますが、これは日本特有のことなのです。

同じ時期、他の国では人類の痕跡を見つけるのさえままなりません。なぜかというと、動物を狩る生活だったため、常に移動しているからです。獣を追って移動し、あるところに住み着いては、その場その場で石器などをつくっている。

ところが日本の場合は、定住型なのです。他のエリアと同じように肉食をしている狩猟民族なのに、比較的移動しないのです。そもそもそれ自体が非常に特殊な文化の形といえます。しかし、そのおかげで文化として非常に発達したわけです。

また日本の石器が優れていた理由は、石器をつくる炉が発達していたからです。他の国の石器は、素人の目には「自然の石ではないか?」というものも珍しくありません。しかし当時の日本の石器は、人の手が加わったものであることが瞭然です。

こういう時代がおよそ土器が発掘された1万6500年前まで続きました。

02

縄文時代に土器に火焦げのあとがあった！

縄文人の土器がすごい

紀元前1万4000年頃になると、動物がほとんど獲れなくなります。この結果、世界各地で人口が減る。その時期に日本人が始めたのが土器づくりです。おかげで日本でも多少の人口減少傾向は見られたものの、乗り切ることができました。

それが縄文土器です。

縄文土器というと、火焔（かえん）式土器に見られるような装飾的な形をイメージされるかもしれません。それはむしろ例外で、本来の縄文土器はツルっとしたお鍋（なべ）みたいなもので、模様などもほとんど入っていません。

子供の頃に教科書に掲載されていた装飾的な縄文土器を見て、「いったい何に使ったのだろう？」と不思議に思ったものですが、実際の縄文土器というものは非常に合理性が高

縄文土器

市川考古博物館©朝日新聞社／amanaimages

い。

それは、形だけではありません。土の品質のいいものをきちんと選び、遠くから運び、それを溶かして火で焼いて固めると、粒子と粒子ががっちりとつながる。きっと縄文人たちは、粒子のつながり方を研究したのでしょう。非常に頑丈な器をつくりあげた。土器といっても貯蔵用なのに火で炊いた跡のある土器というのは、世界中でも日本でしか見つかりません。

それも非常に古い。はじまりは、およそ1万6500年前にさかのぼる。世界的に見ても、こんな時代に、こんなに高度な土器をつくっている例はまったくありません。それが、縄文土器というものなのです。

ですから他の国では、土器時代ではありません。旧石器時代と新石器時代という区分です。ところが日本の場合は、歴史上は「旧石器時代」などと呼称しています。ただし日本にかぎって実情に即していうなら、「石器時代の土器時代」と区分する。これが文化の面からアプローチした正しい時代区分です。

どうして例外的な実用性の低い装飾土器が、あたかも縄文土器の代表のように教科書に出てくるかというと、これも近隣諸国条項です。「この時代、最高の技術を持った土器は日本でつくられていました」と、書いてはいけないのです。

ですから日本における正しい区分は、5万年前から1万6500年前が旧石器時代。その時代に、もう高度の石器がつくられています。それから土器時代が1万6500年前から紀元0年頃までということになります。現在の教科書のように縄文土器、弥生土器という区分は、あまり適当ではないのです。

「料理」も日本が世界初

頑丈な土器の登場は食生活を大きく変化させます。同時期に世界でつくられていた土器は、強度の弱い須恵器（すえき）のようなもので、水が洩（も）れたりして、火にかけて炊くなどということはちょっと難しかった。

しかし日本では、硬度の高いカチカチの土器ができたわけです。その土器を使って、どんぐりや椎（しい）の実、普通の状態では硬くて食べられないような草などを、お湯と一緒に炊いて食べるようになった。

同時に釣り針も非常に発達しました。動物の骨でつくる釣り針の発達によって、魚もたくさん獲れるようになった。

魚と貝とウサギみたいな小さな動物と、ドングリなど木の実を組み合わせて、食事をつくるようになります。こうした複数の食材をドッキングさせた「料理」の出現は、日本が世界で初めておこなったものといって過言ではありません。

それもこれも、火にかけられる頑丈な土器があったからこそ可能なことでした。

黒曜石のナイフも流通路や輸送路などの物流構築も世界初。この時期、日本だけが極めて発達した文化を形成していたのです。

どうしてそんなことができたのか？　まったく不思議です。

しかも特筆すべきは、日本人はこれらのことをすべて集団でおこないました。まさに私がキーワードにしている「絡合（らくごう）」です。テレパシーも含めて仲間をつくって、みなで運営しながら発展させていく。当時すでに、そうしたコミュニティーをつくっていた、というのが日本の文化であり、技術のルーツなのです。

したがって日本の技術開発には、仲間同士のテレパシーが必要だということです。技術系の研究所の所長や、営業部長のような立場にある人は、このことを学ばなければなりません。コミュニティーを構成する人びとが、テレパシーを使ってスムーズに動くことができる環境づくりをすることがとても重要なのです。

マニュアルをつくってマニュアル通りに動かす、という運営とは真逆の世界観です。このことを頭に入れておかないと、日本人は本来の能力を発揮できない。私は、そう確信しております。

03

「天皇と国民」という「国体」はどう発明されたのか

日本人だけの特殊な遺伝子

このように日本は世界でもっとも早く石器時代が始まり、しかも1万カ所以上の遺跡がある。人々は集団を形成し、道路なども整備していた。

歴史的な常識では、九州から文化が来たというイメージがあるかもしれませんが、たとえば、縄文時代の遺跡として有名な三内丸山遺跡は青森県にあります。

現在の東北地方、青森などから九州の南まで、ほとんど同じような状態の遺跡が発見され、物流の痕跡も見つかっている。

5万年間に80回以上も親戚になって日本語という非常に特殊な言語を形成し、列島各地に日本文化のコミュニティーができあがっていったわけです。

最近まで遺伝子の解析は、必ずしも充分ではありませんでした。ところが、これは近年の発見でＤ遺伝子という、日本だけに見られる特殊な遺伝子があると話題になっています。おおむね日本人の遺伝子の４割ぐらいを占めているこの遺伝子は中国にも、朝鮮にもまったくありません。ほとんどゼロといっていい。

したがって日本人というものが特殊な遺伝子でできている人間であって、かつそれは５万年もの間日本のなかで生活をしたという背景を持ちます。また、そういう風土のなかで日本語という特殊な言語を使い続けてきた賜物であることは、すでに述べたとおりです。

戦争が多いから「ヒエラルキー」ができる

それが際立った「文化」になったのが、ちょうど西暦０年付近でした。

たとえば中国だと、西暦紀元前２００年頃に秦の始皇帝（前２５９年〜前２１０年）があらわれております。それから前漢になり、かなり組織が確立してくる。組織ができるためには文字が必要で、文字によって皇帝の意思が文章化され、それが国ぐにに行き渡る。

そのためには道が整い、駅ができる。要するに点と線で国ができたのです。そして、おのずとヒエラルキー（階級）も生まれます。その組織の一番上に秦の始皇帝がいて、貴族がいて、兵士がいる、という具合に。

秦の始皇帝は「兵馬俑」が有名です。皇帝の墓所の地下に、何千という陶製の兵士が並べられています。これは、場合によっては生身の人間が一緒に葬られた殉葬の一種です。皇帝のような立場の人が死ぬと同時に100人とか、1000人とかいう家来たちが同伴して死ぬわけです。それらの人間を権力者の墳墓に一緒に埋めるような文化ができる。これも一種のヒエラルキーです。

この文化の特徴は、非常に効率的。たとえば敵が攻めてくると、兵隊が組織されて戦えば強い。日本以外の国では常に戦争がおこなわれていますから、組織的であることは死活的に重要なわけです。

兵馬俑

しかし多くの日本人が中国のことを知っているようで知らない。漢、隋、唐、宋、元、明、清と王朝が続いても、そのうち漢民族、つまり元来中国に住んでいた人たちの王朝というのは3つしかない、ということです。他はすべて異民族による征服王朝です。

漢民族の王朝が建つと、その後に異民族の王朝に取って代わる。そのもっとも顕著な例が宋朝です。

宋は漢民族の王朝でした。はじめ開封(かいほう)に都を建て、優れた文人を多く輩出した文化国家でしたが、軍事に疎(うと)く、たびたび北方から攻め込んでくる異民族に金を与えて懐柔するという政策をとっていました。

やがて本格的に異民族に攻め込まれると、大して抵抗もせずに国ごと南へと逃れ、南宋を建国します。もちろん遠からぬ将来、異民族が南宋まで攻めて来ることは決まり切っております。

そんな折、南宋の人びとがとった対策は、軍事力や経済力を強化することではありませんでした。これまでの宋の方針に則(のっと)って正しい歴史を記し、優れた詩歌を詠み、見事な書画を描き、美しい陶磁器を焼き、ひたすら文化を高めたのです。「いずれ滅ぶのだから、せめて漢民族として優れた文化文物を遺したい」と。ここに見られるのは、厳然たる漢民族至上主義と、異民族に対する違和感、蔑視(べっし)です。

次の元はモンゴル人が建てた征服王朝です。その後の明は漢民族ですが、その次の清は女真(じょしん)族ですから、やはり異民族です。

このように王朝ごとに民族が異なる国の組織というのは、日本人の目から見ると、非常に違和感があります。皇帝がいて、軍隊をつくって戦争ばかりしていているからです。

しかし中国の場合は、他民族が周りにいるから、どうしてもそういう組織構造や文化が生まれてくるわけです。

したがって言葉は非常に厳密でなければなりません。異民族同士ですから、明快な言葉でやりとりしないと、相手が何を考えているのかわからない。だから、きちんと話さなければならないし、規則も厳格に定める必要があるのです。

日本列島に住んでいる人が全部親戚のような日本と敵対勢力だらけの大陸とでは、国のあり方が当然違ってきます。

外敵も身分制度もない天皇と国民の国

日本ではおおむね紀元後100年か200年のあたりで、国のようなものができはじめます。

本書では卑弥呼（ひみこ）がどこにいたとか、神武（じんむ）天皇の時代はいつ頃かという話には言及しません。論争になる話題は他に譲り、本書ではあくまで日本および日本人とは何かという本質に絞って分析していきます。

紀元前200年に王朝ができて異民族との戦いのなかで厳格な組織がつくられていった

中国に対し、日本は紀元後まで国家とは呼べないような集落を形成していたにすぎなかった。しかしそれは決して文化的に劣っていたからではありません。

なぜ集落だったかというと、敵がいなかったからです。

敵がいないから首長を中心に、みんなでコツコツ稲作をしていればよかった。だから王朝というような組織には発達しない。

ところが時代がだんだん成熟してくると、「何かの組織が必要だ」ということになる。そうなったときでさえ日本は他の国とは違う、組織的ではない、組織をつくりあげたのです。ご承知のとおり、天皇陛下と国民という争いのないシンプルな構造です。

なぜそのような関係性が可能かというと、外敵がいないためです。もちろん紛争はあったものの、あくまで日本人同士の争いであり、異民族に侵略されて皆殺しにあったり、皇帝の墓がすべて暴かれて、書物や記録を焚書(ふんしょ)されたりすることもなかった。

それが天皇陛下と住民という、その中間に何の組織もない、組織ともいえないような構造が、日本国に自然とできあがっていったわけです。

昔の歴史教科書には、たとえば江戸時代などは、ヒエラルキーが形成され、武士が上にいて、農民や町人を支配下においていた、という組織図が掲載されていました。しかし現在では、そうした中国的価値観の組織図とは、実際の組織はどうも違っていたという認識に変わってきています。

争いで解決しない「天岩戸神話」

日本では、天皇陛下という存在をつくったわけです。そしてその天皇陛下がしらす国の由来を説くために記紀神話というものをつくった。

しかも皇室の神様のはじめは天照大御神（あまてらすおおみかみ）という女神です。皇帝が支配する中国とは正反対で、現に、天照大御神を描いた絵画や図などを見ると、女の人が中心に立っていて、そして軍隊の横に男の神様がひざまずいています。

中国の組織とは、まったく逆の構図になっているわけです。男が支配する世界においては、トラブルが起きると力ずくで封じます。ところが天照大御神は須佐之男命（すさのおのみこと）が暴れたさいに力で解決するのではなく、天岩戸に隠れてしまう。

須佐之男命が、機屋（はたや）の屋根から皮を剝（は）いだ血まみれの馬を落とし入れたところ、驚いた天の服織女（はたおりめ）は織機の杼（ひ）が陰部に刺さって死んでしまった。このことで天照大御神は大変お

天照大御神が瓊瓊杵尊に稲穂を授けた「斎庭の稲穂」

今野可啓　神宮農業館所蔵

怒りになり、天岩戸に引き籠ってしまう。すると、高天原も葦原中国もまっ暗闇となり、さまざまな禍が生じます。

八百万の神々は、天の安河の川原に集まって対策を練って対応を相談した。さまざまな儀式をおこなったり、常世の長鳴鳥と呼ばれた聖獣である鶏を集めて鳴かせたり。

鍛冶の神に八咫鏡をつくらせたり、玉造の神に八尺瓊勾玉をつくらせたりしたのも、このときとされています。

それでも効果がないので、岩戸の前に伏せた桶の上で、天宇受売命がトランス状態になって、胸や陰部をあらわにして踊り狂った。このとき八百万の神が一斉に、高天原がとどろくように笑った。すると、この笑い声を聞いた天照大御神は訝しんで天岩戸の扉を少し開けるわけです。

「私が岩戸に籠って闇になり、困っているはずなのに、なぜ、みなは楽しそうなのか?」と。そこで天宇受売命は巧いことをいった。「あなたより貴い神が表れたので、喜んでいるのです」

そこに天児屋命と布刀玉命が鏡を差し出すと、天照大御神は鏡に映る自分の姿をその貴い神だと思い、もっとよく見ようと岩戸をさらに開けたところを力の強い天手力男神がその手を取って岩戸の外へ引き出した。

かくして太陽は元に戻り、須佐之男命を高天原から追放するわけです。

つまり世を荒らすような悪いことをすると、太陽が陰る――天変地異のような悪いことが起こる、ということを示している。そうなるとみんな困るから相談して、踊りでも踊って、天照大御神が顔を出すように仕向けるのです。これが日本のトラブル収拾法であり、天岩戸の物語なのです。

なぜ「男系継承」かの遺伝子学を理解していた古代人

支配層といった組織的なヒエラルキーをつくらない日本では、権力者ではない権威が必要でした。それが天皇陛下です。

天皇陛下は権力をもって支配したのではなく、血筋という権威をもって君臨します。その血筋は天照大御神にさかのぼり、否応なく貴いわけです。初代の神武天皇は天照大御神の五代下のご子孫であるという高貴な血筋であることが重要で、歴代天皇はそれに連なっています。

当時の日本人の自然観察力の高さは瞠目（どうもく）に値します。血筋として継続するのは男系男子だけだということに気がついていた。現在の遺伝学的な解析からわかっている事実と一致した見解を持っていたのは驚くべきことです。

Ｙ染色体は、性染色体のひとつ。雄個体にはＸ染色体とＹ染色体同時に存在し、雌個体には、Ｙ染色体は存在しません。

したがって父親は「ＸＹ」、母親は「ＸＸ」という染色体を持っています。父親から受継いだ染色体が「Ｙ」だった場合に、子供は男の子として生まれます。

天皇家は男系によって継承されてきました。つまり男しか持たない性染色体Ｙを、ほぼそのままの形で継承してきたのです。息子は父からYを譲り受ける都合上、父のXは受け継がず、Xは母由来のものを受け継ぎます。

性染色体であるXと、性別とは関係のない常染色体は、生殖細胞ができるさいに「交差」という現象を起こします。染色体に切れ目が入り、中身を一部交換されるのです。X染色体は、この交差によって、遺伝子がそのまま継承されることが少なくなるのです。つまり、X染色体や常染色体は、次第に薄まっていくわけです。

ところがY染色体には交差は起きません。父から息子へ、そのまた息子へと、まったく薄まらずに継承されていくわけです。

したがって父親の考え方——父親がどういうふうに物事を考えるかということは、その父親も、またその父親も、という具合に何千年も継承され得る。それを古事記の時代に、世界の古代人のなかで日本人だけがわかっていたわけです。

これは、世界のなかでも日本人の観察力が、優れて鋭いということの証左であると思います。

権力ではなく男系男子相続で天皇をつないでいった。それで日本は2000年間にわたって、ひとつの王朝が継続するという稀有(けう)の国家になったわけです。

世界では考えられない仁徳天皇の「統治」の仕方

そのことが明確にうかがえるのが、有名な仁徳天皇のエピソードです。古事記のなかでは、天照大御神の天岩戸に次ぐ重要な物語といってよいでしょう。

あるとき仁徳天皇が宮殿から民家を見ると、煙が上がっていない。どうやら米を炊く薪がないようだ。ひょっとすると米もないのかもしれない。そう直感した仁徳天皇は、3年間徴税を止め、労力を供出する使役も止めさせた。天皇自身も3年間、貧しいものを食べ、宮殿の補修もほとんどせずに生活をした。3年後にもう一度、宮殿から里を見ると、煙が立っている。そして仁徳天皇はこう言います、「民の竈は賑わいにけり」と。

これは、おそらく半分はつくり話です。神話みたいなものですが、そのとき仁徳天皇はさらに次のように言ったというのです。

「それでも回復してすぐに徴税したのではかわいそうだから、あと3年待とう」

再び天皇は3年間、非常に質素な食事をとり、宮殿は荒れ果てたまま耐え忍ぶ。かくして6年が経って、再び宮殿から里を見ると、里にはもうもうと煙が上がって非常に豊かになっている。ああ、これでいいと、税金と使役を再開するわけです。

国民は国民で、天皇陛下に6年間も辛抱していただいたお礼に、今度は自分たちで積極的にご奉仕をしようと仁徳天皇陵という世界で一番大きな面積の墓をつくったのです。

これは歴史というより、思想の話ではないでしょうか。力の支配とは、まったく逆な統治方法です。

権威と権力をわけた日本の統治のあり方は、現代の会社にもつながっていました。現代では高給を食む社長もなかにはいますが、私が就職した頃は社長の給料もまだそんなに高くはなかった。従業員のなかで一番上のクラスに位置する部長にしても、平の従業員の平均給与の1・6倍までという縛りがありました。

また呼び方も会長社長を問わず、すべての人を「さん」付けで呼ぶのが慣例でした。大きな会社ほどそうでした。決して「〇〇社長」と役職では呼ばせないのです。

昔型の日本の社会には、階級制はおろか階級意識そのものが希薄でした。日本人は長い歴史のなかでそういう社会をつくったのです。

権力者・信長の行動がどうしても理解できないフランス人

しかし、こうした日本社会の話は外国人には理解できません。あるときフランス人に織田信長の話をしたことがありました。

信長が天下を取る寸前のこと。軍隊をたくさん引き連れて、きらびやかな服装をして供物を持って天皇陛下に謁見した。当時の天皇は貧しい御所に住んでおられて、衛兵も少なかった。そこに織田信長が行って、「もうじき天下を統一できますので、よろしくお願いします」といって贈り物をした。

そういう話をしたところ、フランス人は「その話はウソでしょう」というのです。

私が史実に基づく話だと否定しても、「そんなはずはない。天下を取る寸前の状態で、自分は大勢の軍隊を引き連れている。そういう状態で信長の上に天皇がいるというなら、信長は天皇を斬り殺すに決まっているじゃないか。なんで信長は天皇を斬り殺さないのだ。今までの行動と矛盾しているじゃないか」と一向に信じません。

新しい権力者というものは、前の権力者を殺して、その先祖の墓を暴いて権力の座につくのが彼の常識だからです。

しかし、それが世界のスタンダードなのです。フランスでも中国でも中東でもそうです。世界全体では、強い者が衰えた者を斬り殺して、王座につくのが当たり前。だからこそ、そのフランス人は信長のエピソードを受け入れなかったわけです。

もうひとつフランス人との思い出があります。

名古屋城を案内したときのことです。名古屋城は「尾張名古屋は城でもつ」と謳われるほどの名城で、私たち日本人には誇らしい立派な城です。

ところが、そのフランス人は「ずいぶん小さい城ですね、誰が住んでいるのですか？」という。「殿様や重臣、奥方などが住んでいるのですよ」と答えると、「平民とか庶民といった人はどこにいるのですか？　戦争のときはどうしているのですか？」と重ねて訊いてくる。

「戦争のときは田んぼから引き揚げて、山の上とかに逃げているのですよ」と話すと、「殺されないのですか？　戦争が終わったら捕虜にされて連れて行かれるのではないですか？」と。私は、「いや、それは全然違う。そもそも次元が違ってサムライ同士で戦争して、どっちか負けたサムライがお城のなかで腹を切って、火をつけて終わりだ」と説明しました。

するとそのフランス人は、「それは戦争ではない。まるでおままごとだ」「戦争というのは領土を取って、そこに住んでいる人たちを奴隷にして持って帰るからこそ、自分たちの命を懸ける価値がある。それなのに戦っただけで殿様が腹を切って終わりだったら、どこにメリットがあるのか？」と、そう言うのです。

「奴隷制」の真似はしなかった

この話は日本に階級制がないことを示したものです。日本には、奴隷というシステムがなかった。『魏志倭人伝』などには、古代の日本にも奴隷がいたことも書かれていますが、根付きませんでした。

律令制度にも、奴隷の存在がありました。中国を真似て、奴婢という身分を設定しています。ただし律令制度の崩壊とともに、自然消滅しています。その他にも、寺などに隷属する身分があったり、中世には「山椒大夫」の物語のように人身売買がおこなわれたり、戦国時代には「乱取り」という強制拉致のようなことがおこなわれた例はあります。

それでもどれも「奴隷制」というほど確固たる制度ではありませんでした。奴隷に類する生活を強いられた人がいなかったとは言いませんが、奴隷制というほど明確なシステムとして、日本の社会には根付かなかったのです。

江戸時代になってできた士農工商を小学校では身分制度だと教えていました。ところが違います。侍の報酬がお米だったため、お金を持っていたのは商人です。だから報酬が100石以下の侍の生活は貧しく、夕方になったら灯りをつけて、家族で円座にすわり、虫籠をつくったり、木剣や楊枝を削ったりして金にした。一方、商人は武士のように権限を持たないものの、金は比較的自由に使えました。

つまり日本のシステムというのは、階級の上下ではなく、横並びなのです。武士がいて、生産をする農民がいて、商人がいる。

こんな話があります。大名行列で大名が通るときに、農民はみんな土下座してお辞儀するわけです。するとお辞儀しながら隣の人に「今は殿様だなんていばっているけれど、奴なんか若い頃はそこらへんをフーテンのように飛び回っていたのだ」なんて農民が言っていた、といいます。

大名だからといって、雲の上の見たこともないような貴族なわけではなく、子供の頃にお宮参りに行ったり、若造の頃に悪所通いをして遊び歩いたりしているのを、目の当たりにしていないまでも「知っているよ」と、そういうことです。領主と領民というものが、縦ではなく、横でつながっている。そういう意味では、とても狭いコミュニティーでもあるわけです。

ですから、全体的に階級性の意識が稀薄なのです。

国民一人ひとりが国を思う団結力

このことが、明治以降の対外戦争や戦後の大復興のときの愛社精神とか、生産性向上などの分野において世界でも稀に見る力を発揮した原動力になっています。

たとえば日露戦争のとき、日本の水兵は戦に臨む気持ちは将軍と変わらないのです。つまり2000年間もテレパシーで続いてきた国家ですから、一兵卒の水兵でさえ、「日本を守るのだ」という明確な目的意識を持っている。

それに対して、他の国の兵隊は雇い兵です。

日清戦争で日本が勝利したのも、日本の兵隊は「日本のために」と真剣に戦ったからです。日本という国が2000年以上も続いているからこそ、非常に濃厚な「日本」という国民国家意識があるのです。地域性による違いもほとんどない。身分制もなく、武士と百姓という区分けがあった時代でさえ、百姓が理不尽に斬り殺されたり、奴隷扱いを受けたりすることもほとんどなかった。

だから明治以降、百姓だった人間が軍に徴集されても戦場の修羅場に突っ込むことができたのです。なんのために突っ込んでいったかというと、自分の母親のために、おらが村のために、日本のためにという意識を持っていたからです。「母親」と「おらが村」と

「日本」が一直線につながっていた。

ところが雇われにすぎない清朝の兵隊は多くが逃げた。逃げていく清兵のことを日本の兵隊は理解できません。「長い距離を歩いてきて、やっと今から戦おうというのに、なんで逃げるのか?」と、当時の記録に残っております。

清朝はそれから数年で滅びてしまうのも、むべなるかなです。兵隊もその没落を予感していたのかもしれません。

現代の日本人も同じで、技術者にしても営業マンにしても常に「会社」という意識があります。ところが中国も、ヨーロッパも、アメリカも、「契約」意識はあるけれど、日本人のように「会社のため」という意識はない。自分の仕事と報酬という契約の意識は強烈なのに、日本人のように全体に奉仕する意識はまったく育たない。

ここにも天皇制の影響が見えます。天皇を頂点に横並びの社会だからこそ、一兵卒に至るまで国のために戦うと思えるわけです。

しかし、これが今ではもうむちゃくちゃになってしまいました。「金のため」に働く若者が増えています。

最近、日本の誇りをつないできた大きな会社が、外資に買い取られてしまいました。その会社のもっとも重要な仕事が蒸気タービンでした。蒸気タービンは、国の発展にとっては絶対不可欠な技術です。これがないと、そもそも重工業ができません。

蒸気機関というものは、近代化の要です。石油を焚いて蒸気の力でものを回し、それを動力としてさまざまなものをつくりあげていく。この動力がないと、機械工業は動き得ませんし、そうなると重工業は成立しない。しかし蒸気タービンそのものは、つくることが大変な割に儲けが少ない、基礎的なものであるだけに、手間はかかるが利の薄い商売なのです。役員にも従業員にも「日本のため」という意識があって初めて成り立っていました。日清・日露の戦争への勝利を支えたのも、「Japan as No.1」と言われた高度成長時代も、それがすべての力の源だった。１９９０年以降に契約社会になったことで、その力を失ってしまったのです。

とはいえ契約社会を徹底することも、日本の政治家や経営者にはできません。国家や会社へ忠誠を尽くしたいという日本人に根付いた意識が、まったくなくなったわけではないからです。トップが国家や会社の運営に迷い、経済学者が日本経済の低迷をうまく説明できないのもここにあると私は見ています。

第2章

日本侵略を防いだ
奈良時代から受け継がれた匠の力

04

大仏づくりに重要な役割を果たした銅の存在

ピラミッドよりも奇跡的な奈良の大仏

前章で、日本の社会は世界の他の国ぐにとは異なり、階級社会といった立体構造ではない。平坦な構造をしていて、そのなかで日本人全体がひとつの方向を目指して努力してきたことを書きました。それが2000年間の日本の発展につながり、やがて20世紀のはじめには、欧米列強の植民地になっていない有色人種の唯一の国になることができた（タイという国も植民地支配を免れましたが）。特殊というか、非常によい状態をもたらしたわけです。

このことをもうひとつ踏み込んで考察してみましょう。

たとえば会社を見ても、社長がものすごく威張っていて、従業員は金で縛られていやいや仕事に従事させられている組織。そうではなくて従業員が心の底からみんなで一緒に会社を守り立てていこうという組織では、効率や成果がまったく違います。

全体の構造として、どちらが効率的に業績を伸ばすのでしょうか。歴史的に見ても前者である中国やヨーロッパの体制より、日本が代表である後者のほうが、より大きな力が発揮されるように思います。つまり後者のような社会のほうが、勝ち組であると考えています。

具体的な技術との関係で例をあげると、それは奈良の大仏です。

よくテレビなどでは「ピラミッドの秘密」などといって、クフ王のピラミッドはどのようにしてつくられたかなどと特集をしています。もちろんピラミッドも高い技術力の賜物(たまもの)といえます。しかし技術的に見れば、ピラミッドは石を切り出して角錐(かくすい)形に積み上げていくだけのことです。

これに対して奈良の大仏は、まずは銅を溶かす必要があるわけで大変です。というのも、銅の融点は1000度以上だからです。通常の窯(かま)ではそのような温度に至ることができません。登り窯などでようやく800度、かなり工夫したら900度ぐらいまで上げることができますが、そのあたりが限界です。あれだけ大量の銅を溶かすということは、容易なことではないのです。

銅の「同族元素」を理解していた奈良時代の人々

ところが、ここがまた日本および日本人の面白いところなのです。じつは奈良時代にはすでに「同族元素」を理解していたのです。同族元素というのは、化学的性質が似ている元素のことです。

学生時代に勉強した通り、元素を原子番号順に並べた周期表があります。同族元素は、周期表で同じ縦の列中に配列されています。この縦の並びを「族」といいます。同族元素は、最外殻の電子が同じ配列になっているため、よく似た性質をあらわします。

火山国である日本は金、銀、銅がよく採れる。金銀銅は同族元素であり他にも、鉛、水銀、ヒ素が、それにあたります。

したがって銅とはいっても、なかにはさまざまな同族元素が含まれているのです。もちろん、当時の日本人が元素という科学的知識を持っていたわけではありません。それでも同じ銅でも産地によって違いがあることを知っていたのです。

現在の山口県に長登（ながのぼり）銅山という鉱山があります。ここの銅は、ヒ素を含んでおりました。銅はヒ素を9％含んでいると、融点がぐっと下がって900度ぐらいで溶けるのです。このことを奈良時代の日本人は理解していて、しかもその銅を溶かす工場を長登付近につくっています。

　どういう工場かというと、坂になっているところの土を掘って、そこで松明を燃やすようにして炉をつくったわけです。銅山跡の中心的位置にある大切製錬遺跡は、大切谷内の小丘陵を壇状に整地してつくられたことをうかがわせます。そこに選鉱作業場、炉を中心とした製錬作業場、大溝、暗渠（排水溝）、柵などが設けられました。

　その炉をつくったのは長登に住んでいる農民で、ご

長登銅山跡大切４号坑

長登銅山跡花の山製錬所跡

美弥市教育委員会提供

く普通の人びとであったようです。

今でも当時の様子を描いた絵が残っています。棟梁みたいな人はいるものの、あくまで日本流だし、組織だっているわけではなく、村人が集まって作業しているといった風情です。

「大仏さんをつくるのだから、一緒にみんなでやろう」という感じでしょうか。地元の伝承では、長登の「ナガノボリ」の語源は、「奈良のぼり」。つまり奈良に送る銅を産出する、という意味であったといわれます。その光景がまるで目に見えるようです。

今は使用されていませんが、奈良時代の溶鉱炉の跡は残っています。実際見に行くといかにも日本流の、全員参加の作業が目に見えてくるようです。全員で銅の鉱石を運んできて、それを選別し、松明で燃やして溶かし、一次溶融物をつくって、それを水路で奈良まで運んでいく。銅はものすごく重たいですから、水路を利用した。この一連の作業は、素晴らしく見事にシステマティックです。

鋳造で、銅剣や銅鍋などの大きさのものをつくるだけでも大変なのに、ましてやあの大きな大仏です。大変さの度合いが格段に違います。こんな技術は世界に類例がないのではないか、と驚くばかりです。

現代でも難しい力学計算に基づいた建築技術

しかも大仏づくりのもうひとつの難しさは、なかが空洞になっていることです。銅をただ積み上げていくほうが技術的には容易なのですが、それには銅の絶対量が足りない。だから内側は空洞にする。そのために大仏の下の部分の銅の厚みをどのくらい取っておけば、上に積み上げられる銅の重さを支えられるか。このような、なかなか難しい力学計算が必要になってきます。

上の銅の厚みをどのくらいにするか、その比重がいくらで、重さはどのくらいなのか、それが形や角度によっては、どういう方向に、どのくらいの力がかかるか。それらの複雑な計算によって、一番下の部分が座屈しないように、銅の角度と厚みを決めなければならない。

現代の知識を駆使してもできるかと思うくらい、難しい計算です。そのうえで銅の割合とか、節約しなければならないところとか、ギリギリのポイントを見出している。大仏をつくる技術には、そういう計算が含まれているわけです。

大仏のことばかりではありません。大仏殿も木造建築として世界最大級のものです。屋根に瓦を載せることを勘案すると、どのくらいの強度を持つ木材を切ってくればいい

大仏のつくりかた

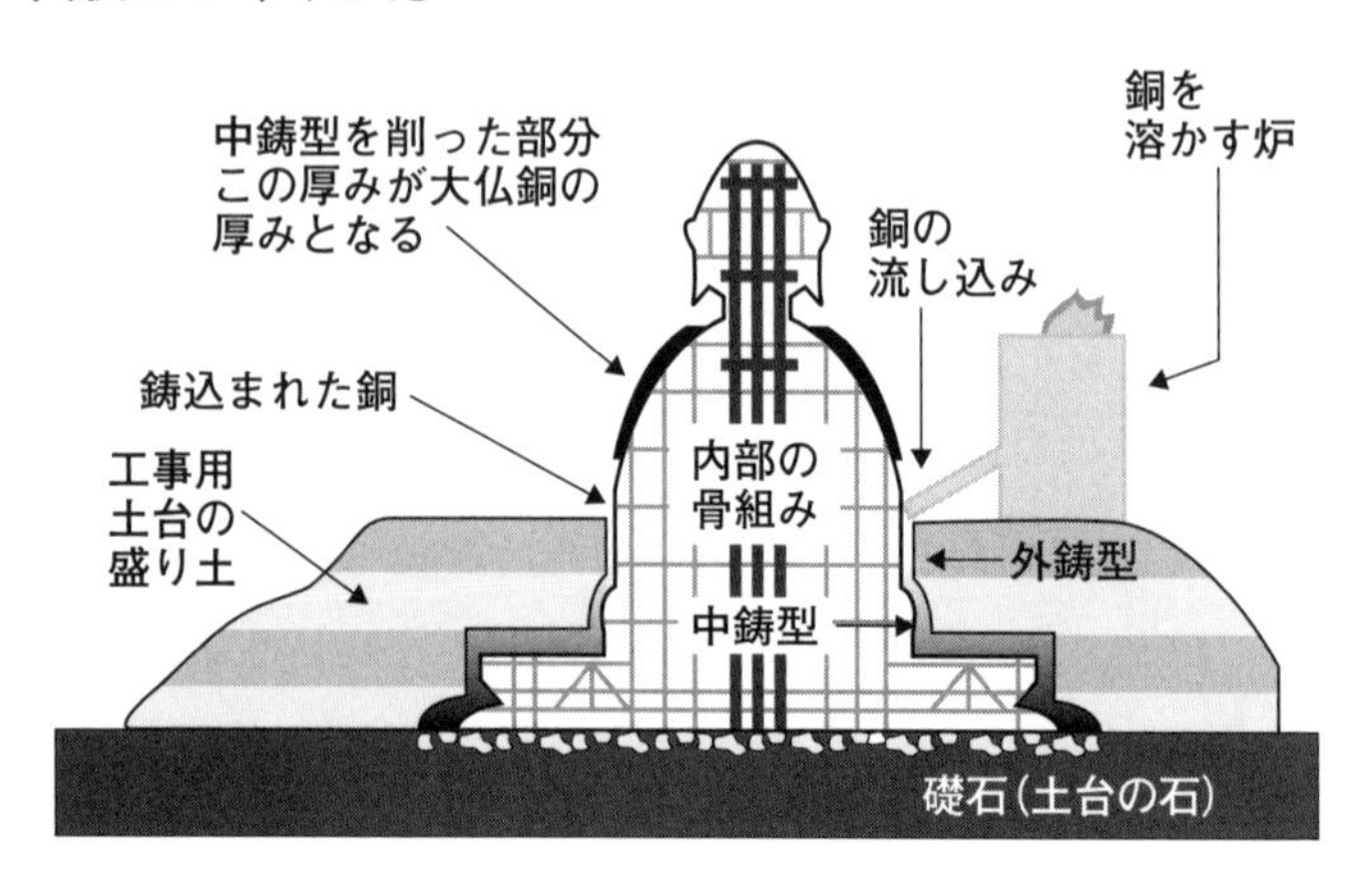

のか、あの立派な柱を組み上げる構造が、よくわかったものだと本当に感心いたします。

適切に素材を用い、見事なバランス感覚でつくりあげている。長年の、あるいは工匠としての代々受け継がれてきた経験値もあるでしょう。それでも私は個人的には、ピラミッドの技術などよりも、はるかに高度な計算や技術が用いられたと考えております。

さらに大仏は、つくられた後にお化粧が施されています。表面を削り、研磨して、研磨したところに水銀と金を一対一で溶かしたアマルガムを刷毛(はけ)で塗り付けているのです。この技術も大したものです。同族元素の性質を利用しているからです。

刷毛で均一に塗って、それを松明であぶると水銀だけは揮発して、後に金が残る。いわゆる古代のメッキです。

金箔（きんぱく）は、金の塊を昔は金槌（かなづち）や木槌で叩いてつくりました。現在は、金槌状の機械で叩いてつくります。これは「展性」という、金の伸びる性質を利用した技術です。この金箔をつくって貼る技術は、まだ奈良時代にはありませんでした。だから大仏殿には、アマルガムを塗りつけて、水銀を揮発させる手法が用いられたわけです。

日本の「職人力」のすごさ

こういった技術は、日本でしかできない繊細なものです。しかも、すべての工程が職人レベルです。外国のように中央政権の技術者の号令のもとでの労働とは違います。
日本の技術というものは、おしなべて職人技です
刀鍛冶（かたなかじ）などはそのよい例です。玉鋼（たまはがね）の選び方、鍛えるさいの温度調節、焼き入れのさいの水槽「舟」にはられた水の温度などなど、すべてが刀匠一人ひとりの独自の工夫で成立しています。それは漆芸、彫刻、染色、織物などなど、どの分野においてもいえることです。普通の職人が、自分の創意工夫でもって高度な技術を具現していく――こういうところが独特なのです。

私が感心するのは、そもそも「なぜその銅を採取したのか？」ということです。掘削し、ヒ素が入った銅を見つけ、それを低めの融点で溶かし、製錬後、鋳型に流し込んで固化させた金属塊であるインゴットをつくる。それを船で運んで、もう一回溶かして鋳造物をつくる。技術の連鎖に継ぐ連鎖。これは、世界でも稀に見ることだと思います。

世界には、仏像をはじめとしてさまざまな巨大なモニュメントはあります。ところが、ほとんどが石づくり、あるいは近代においてはコンクリート製です。大きな石を彫り抜いて、巨大なものをつくるのは比較的容易です。奈良の大仏のように銅を溶かしてつくるのは、至難の業であったわけです。

そういう意味では、大仏は日本の技術と組織ではない組織力によって、ひとつのものを制作する力の象徴ではないかと思います。

上からの命令でお金をもらってやる、ということではなしに、日本の統一のシンボルとして奈良の大仏がつくられたのではないかと、私は思います。

聖武(しょうむ)天皇は「仏教の教えで国を安寧に導く」鎮護国家を謳っています。大仏づくりに協力した人びとには「とにかく、みんなでやろうじゃないか」という意志が感じられる。「みんなで、ひとつの大きなことを成し遂げる」ということに、実は大きな意義があったのではないでしょうか。

05 鉄砲の複製を可能にした職人たちの技術力

世界有数の鉄砲保有国へ

大仏と同じような大きな意味を持つものが、「鉄砲」です。1543年、織田信長が活躍を始める戦国時代の種子島(たねがしま)に鉄砲がたどり着きます。

これはポルトガルが持ってきたものです。当時、世界を支配していたのはポルトガルとスペインです。鉄砲を伝来したポルトガルに対抗して、スペインが日本を征服しようと近づいてきます。

実際、日本に来る前にスペインはフィリピンを植民地化しています。

フィリピンの現地勢力と闘争になり、そのときに史上初世界一周をしたマゼランは殺されてしまいますが、結局はスペインが勝利した。ときのスペイン国王はフェリペ2世でしたから、フィリピンという名前を冠して占領したわけです。次は日本だということで、送り込んできたのが宣教師でした。

宣教師は教科書に書かれているようにキリスト教を伝えるだけの存在ではありません。日本を占領するための、いわば先兵です。実際、スペインの難破船の船長が日本に上陸したさい、スペインの計画をそっくり伝えております。

1596年、スペインのガレオン船サン＝フェリペ号が四国土佐沖に漂着しました。このとき地元の領主であった長曽我部元親と乗組員との間で争議が起こり、調停役として豊臣政権の五奉行のひとり増田長盛が派遣されました。

このやりとりのなかで増田が「どうしてスペインはかくも広大な領土を持つことができたのか?」と訊ねると、航海長のデ・オランディアはすらすらと、「スペイン国王は宣教師を世界中に派遣して、布教とともに征服することを事業としている。土地の民を教化し、その後信徒を内応させ、兵力をもって征服するのだ」と答えているのです。

この報告を受けて秀吉は、有名無実化されていた「伴天連追放令」を強化し、26人のキ

郵便はがき

料金受取人払郵便

牛込局承認

9026

差出有効期間
2025年8月
19日まで
切手はいりません

162-8790

東京都新宿区矢来町114番地
神楽坂高橋ビル5F

株式会社ビジネス社

愛読者係行

ご住所 〒 TEL: ( ) FAX: ( )			
フリガナ お名前		年齢	性別 男・女
ご職業	メールアドレスまたはFAX メールまたはFAXによる新刊案内をご希望の方は、ご記入下さい。		
お買い上げ日・書店名 年 月 日	市区 町村		書店

ご購読ありがとうございました。今後の出版企画の参考に
致したいと存じますので、ぜひご意見をお聞かせください。

書籍名

お買い求めの動機

1　書店で見て　2　新聞広告（紙名　　　　　　　　　　　）
3　書評・新刊紹介（掲載紙名　　　　　　　　　　　）
4　知人・同僚のすすめ　5　上司・先生のすすめ　6　その他

本書の装幀（カバー），デザインなどに関するご感想

1　洒落ていた　2　めだっていた　3　タイトルがよい
4　まあまあ　5　よくない　6　その他(　　　　　　　　　　　)

本書の定価についてご意見をお聞かせください

1　高い　2　安い　3　手ごろ　4　その他(　　　　　　　　　　　)

本書についてご意見をお聞かせください

どんな出版をご希望ですか（著者、テーマなど）

リスト教関係者を磔（はりつけ）の刑に処しました。いわゆる「日本二十六聖人殉教事件」が起こります。

当時、宣教師たちがスペインに送った報告書が、今も数多く残されています。それらの文献を読むと、事細かに日本の状態を本国のスペインに伝えていたことがわかります。同時に「日本の兵力には到底かなわない」というような記述も多く見られます。

鉄砲の伝来からまだ数十年しか経っていないのに、ものすごく多くの鉄砲が当時の日本にはあったようです。

文献の記述から割り出して、当時の日本が保有している鉄砲の数は、スペイン一国が保有している鉄砲の数と同じぐらいだったという説と、ヨーロッパ全土にある鉄砲の数と同じぐらいだったというふたつの説があります。いずれにしてもアジアどころではない、ヨーロッパも含めた世界有数の鉄砲保有国になっているわけです。

鉄砲を利用したハイレベルな戦術も発明

鉄砲の数ばかりではありません。

戦術的にも優れておりました。「長篠（ながしの）の合戦」（1575年）でよく知られているように砲隊で鉄砲を間断なく、繰り返し撃つ戦術が編み出されております。

以前は、信長は鉄砲隊を3列に分けて、1列目が撃ったら後ろに下がって、2列目が撃つ。2列目が撃ち終わったら、後ろに下がって3列目が——というような組織的な戦術だといわれておりました。ところが最近の研究では、どうやらそうではなかったらしい、と考えられるようになりました。

馬防柵（ばぼうさく）で騎馬隊の足止めをしたうえで、鉄砲足軽各自が撃っては下がり、準備が整ったらまた前へ出て撃つということを繰り返していたようなのです。

組織的に1列目、2列目と銃撃しようとすると、なかには早すぎたり、遅れたりする者が出て、足並みをそろえることはなかなか難しい。でも各自がそれぞれに撃っては下がり、準備ができたら前へ出て撃つ。この単純作業を繰り返せば、結果的に「間断なく鉄砲の攻撃が続けられる」わけです。

これも、なにか大兵法家みたいな天才がいて、大きな軍事組織で開発された技術ではない。職人的なところから「これ、いいよ」と広まったような技です。

鉄砲の大量生産も、現代のように大学研究機関や大会社があって組織的な研究を重ねた結果ではありません。各地の鉄砲鍛冶が、コツコツとつくり続けた賜物なのです。こういうところが日本の技術の特質であり、面白いところです。

必ず研究機関をつくるヨーロッパ人とは対極的です。旧石器時代以来の日本人に受け継がれたＤＮＡなのでしょう。

武器に合わせ進化する鎧

伝来から数十年の段階で、世界でも指折りの鉄砲保有国となった日本では、すっかり実用化され、改良され、鉄砲をガンガン撃ち合う戦いをしておりました。それに応じて、鎧（よろい）も変化していきます。

ちょっと余談になりますが、日本では鎧と刀で戦います。これは、世界的に見ると非常に特殊です。普通は盾を持っている。どこの国でも盾を持って、攻撃を防ぎながら斬り合うスタイルがスタンダードです。しかし日本の場合は盾がありません。「打道具」と呼ばれる薙刀（なぎなた）、槍（やり）、打刀（うちがたな）で戦う。つまり、敵の攻撃は鎧と刀で防げるわけです。

これが日本の鎧の特別なところで、膝とか、腕の付け根とか、脇とか、関節の箇所には弱みがあるものの、それ以外は非常に堅固にできています。それでいて、とても軽くつくられているのです。現代人が着ると非常に重く感じますが、あれだけの防御力のあるものにしては、かなり軽量化が図られております。中世までの日本の甲冑は兜の鉢以外、基本的には、革に漆を塗ったものを紐で綴っているだけですから。

軽くて機動性が高く、盾が要らない。そういう鎧を身に着けていれば、おのずと戦いの仕方も変わってくる。攻撃に集中できます。これがやはり、「技術を有する者の力」なのです。

話を戻すと、鎧も鉄砲が普及することによって、素材そのものが変化してくる。槍や弓矢が主流のときには、硬い布や革を用いて鎧をつくれば、矢などが突き刺さるのを防げたのです。ところが、さすがに鉄砲玉は貫通してしまいます。そこで鉄板が多用されるようになる。そうなれば、鎧の構造も変わってきます。

平安から鎌倉の昔、身分のある武士たちは「大鎧」を着用していました。腰を守る草摺が4枚。胴もまた四角く、胴の右側に「脇楯」と呼ばれる別部品が付きます。この鎧は、馬上で弓を射る騎射戦が主流であった時代に誕生・発達し、主に馬に乗る上級武士が着用しました。

馬に乗らず、徒歩でおもむく身分の軽い武士たちは、胴が筒状で草摺も細かく分かれて歩きやすい「胴丸（どうまる）」や、腹に巻くだけの手軽な防具「腹巻」などを着用して戦場を駆けめぐりました。「鵯越（ひよどりごえ）の逆落とし」や「八艘（はっそう）飛び」などの逸話で身が軽いことでお馴染（なじ）みの源義経は、大将であるにもかかわらず胴丸鎧を着用していた——ともいわれます。

戦国時代になると、大鎧は簡略化され、大将でも動きやすい胴丸がスタンダードになっていきます。これは騎射戦から白兵戦へと、戦いの形式が変化したことが背景にあります。そうした状況下において鎧は、さらに防御能力を高めた「当世具足（とうせいぐそく）」へと変化します。

当世具足とは、「今風の鎧」という意味で、かたちは一様ではありません。過去に用いられた大鎧や腹巻との大きな違いは、胸、腹部、背中を等しく防御する工夫を凝らした胴のかたちと、腰を防御しかつ機動力を高めるために細分化された「草摺り」、そして鉄砲などの新しい武器に対応するために、鉄板などが多用されています。

甲冑のソフトにあたるデザインにも、さまざまな意匠が凝らされました。インパクトのある前立で兜を飾り、あるいは全身赤ずくめ、金ずくめなど奇抜ないでたちを競うようにこしらえたのです。さらに海外から輸入した貴重品である羅紗（らしゃ）やビロード、ペルシャ織物、ヤクの毛や虎の皮、水牛の角、白クマの毛皮などを用いることもありました。世界の有色人種のなかでも、鎧のハード面からソフト面にいたるまで、こんな工夫をしたのはもちろん日本人だけです。

ですから他の有色人種の国ぐには優れた武器を持つヨーロッパの軍隊にやられてしまい、多くが簡単に植民地にされてしまったわけです。それなのに日本だけは「これは攻めても駄目だ」ということになり、さすがのスペインも占領をあきらめてしまった。ちょうどその頃、スペインはイギリスとの海戦（1588年）に負けて、無敵艦隊が壊滅的打撃を受けたということもあり、結局、日本を攻めることを断念せざるを得なくなったわけです。

芸術化する刀の鍔

日本文化の大きな特徴のひとつとして、「本来の目的をはずして芸術にする」という傾向があることを感じます。刀の「鍔（つば）」がそうです。

刀は切っ先から手元まで、なにも障害物がなくすっきりしています。そうしないと相手に致命傷を与えることができないから当然のことでしょう。ヨーロッパで使われたフェンシングの剣も日本刀もすべて鋭い一本の「棒」です。

そのような形をしている刀には必ず鍔が必要です。相手の刀を自分の刀で防いだときに、相手の刀が自分の刀の上を滑ってきて、手元がやられてしまうからです。刀には常に鍔が必要です。

同様にフェンシングにも鍔があります。フェンシングの鍔は相手の剣が自分の剣の上を滑ってきたときにがっちりと受け止める適切な形をしています。この防御と、さらに腕に何かを巻いておけば完璧です。

でも、日本人の感覚は違います。もちろん日本刀を滑ってくる相手の切っ先は厳しいので鍔が必要なのに、その鍔を「機能的」にはつくらない。おそらくは最初はフェンシングのように「何の変哲もない鍔」だったのが、日本の場合はすぐ変わる。

かくして日本刀の鍔は次第に芸術品になり、飾りが付いていく。その飾りも、最初のころは自分の出身を示すしるしや家紋から、次第に変化して芸術的な趣に変わっていくのです。そして最終的には中国の故事にならった絵を描いたりするのです。

このような日本刀の鍔の変化を見ると、まず「機能的に相手の剣を防ぐ」こと、次に「この刀を使ったのが自分であることを示す」こと、そして「美しく飾る」ことと進みます。最後は「所詮（しょせん）、この人生ははかない。この戦いで私は命を失うだろうが、それもそれだ」ということを意味する模様に変わっていくのです。

相手の刀で自分の手を切られると痛い、痛いから鍔はほしい。でも自分が勝つということは相手が死ぬことで、相手が勝てば自分が死ぬことです。考えてみると自分にとっては自分だが、相手にとって自分は他人です。ところが自分でもなく相手でもない第三者から見れば、自分が死ぬのも相手が死ぬのもこの世から一人いなくなることだから同じであることに思いが至るのです。

どちらが勝つかは神様が決めてくれる。この世の最後になるかもしれないこの戦いに臨むにあたって運悪く自分が死んだときには心おきなく死にたい。だから戦いに出るときにはいかつい武士も薄化粧をして、そして死地に臨むのです。

戦いに臨むときの日本人の心境は、あらゆる物に対する日本人の感覚と通じているように感じられます。刀の鍔の形を変えていくのもそうで、日本の建築物も同じです。

日本の木造建築技術は素晴らしく、すでに奈良時代に法隆寺（ほうりゅうじ）をつくり、後に木造建築で世界最大の東大寺大仏殿を建てるだけの力がありました。でもそれから何世紀も経つと、日本の木造建築は「茶室」になるのです。

芸術的な日本の刀の鍔

建築技術はあたかも「退化」したように小さく小さく、ムダを省いていきます。貴族や殿様の屋敷も豪華で巨大な建築物をつくる方向には進まないのと同じ特徴なのでしょう。日本の技術はあくまでも「心」に向かい、実用はさげすまれるものと考えているようにさえ思われます。

刀の鍔にしても木造建築物にしても、日本人は実用品を美術品に変えていくのです。

第3章

世界最先端だった江戸の翻訳文化が示す平等社会

06

杉田玄白『解体新書』が提示した驚異の翻訳力

杉田玄白と前野良沢

日本の植民地化を目論んでいたスペインの代わりに入ってきたのがオランダです。オランダは植民地主義ではなく、どちらかといえば商業目的だったので、日本の思惑と合致したのでしょう。

江戸時代になると、長崎の出島(でじま)で貿易をすることとなり、鎖国政策のなかでは、長崎が唯一の海外との門戸になったわけです。

さて、ここで日本の技術というものを理解するために非常に重要なトピックが起こります。杉田玄白(すぎたげんぱく)で有名な『解体新書』です。

オランダ語で書かれていたヨーロッパの科学技術書を、杉田玄白らが日本語に翻訳したわけです。このことは、日本人なら大抵知っているほど有名な歴史的トピックで、教科書

解体新書の初版本

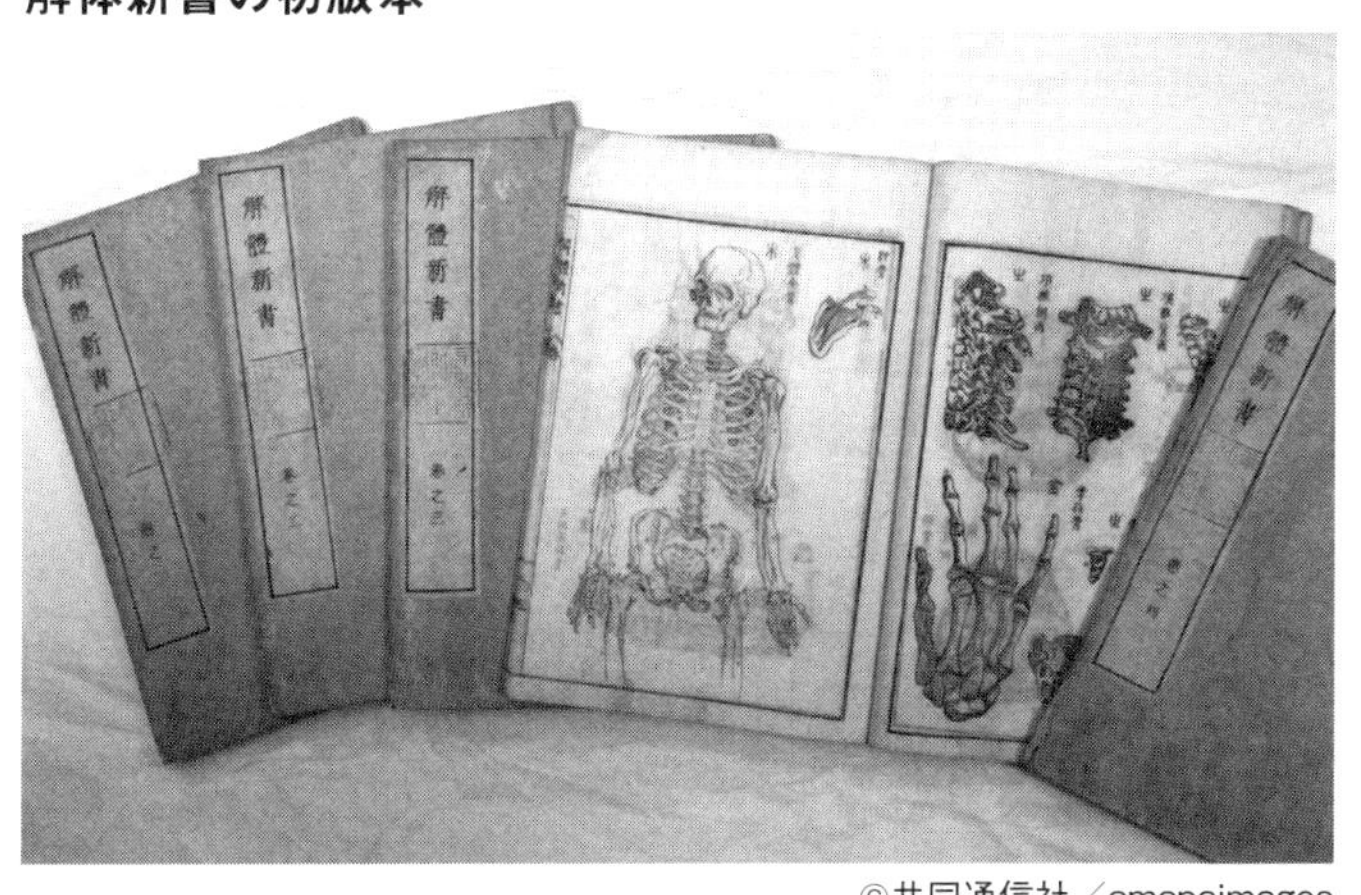

に記載され、小学校や中学校でも教えられております。

ところがその頃、オランダ語ばかりではなく、英語、フランス語、ドイツ語などで書かれた科学技術書その他の書籍が次々と日本に輸入されています。そして『解体新書』に続いて、続々と翻訳されているのです。そのことは、あまり知られておりません。

江戸時代に訳された本は、ざっと数えあげただけでも30冊くらいあります。分野も数学、化学、物理、工学、技術、医学などなど、多岐にわたっています。

たとえば『解体新書』の翻訳にあたって主導的な立場にあった前野良沢（まえのりょうたく）という人は、翻訳がいまだ未熟であると名前を出さなかったほど厳密な人でした。仕えている中津藩の殿様から「オランダの化け物」と評されて、自ら「蘭化」と名乗ったくらいのオランダ語通でした。

良沢はオランダ語ばかりでなく、ラテン語やフランス語にも通じていたといわれています。フォイトの『医薬事典』『ボイス百科事典』、アムステルダムの医師ウィレム・ファン・ラーナウが古代ギリシャから18世紀に至る博物書をまとめた『諸術秘蔵』などのオランダ原書からアスベスト——当時の言い方で「火浣布（かかんぷ）」（1783年頃）を紹介する漢訳書なども著しております。

また良沢は、歴代ロシア皇帝について書かれたオランダ書『Oude en nieuwe staat van't Russische of Moskovische keizerryk（1744）』を翻訳して、『魯西亜大統略記（ロシアだいとうりゃくき）　帝記篇』なる翻訳書も著しています。北方からロシアの脅威が迫る時代を鑑みると、非常に重要な情報といえるでしょう。

ロシアの情報といえば、ロシアのゴローニンが択捉（えとろふ）や国後（くなしり）を勝手に測量したことで拘束されます。松前や箱館においておよそ2カ月の幽閉生活を綴（つづ）った『遭厄日本紀事（そうやくにほんきじ）』も、ロシア語からドイツ語、オランダ語へと翻訳され、それがさらに日本語訳されています。文政8（1825）年のことです。

幕末の代表的翻訳者たち

また、「蛮社の獄」のさいに自害した小関三英という蘭学者は、オランダのリンデン（J. van der Linden）が書いたナポレオン１世の伝記「那波列翁勃納把爾的（ナポレオンポナパルテ）伝」を翻訳しております。この本は、小関没後18年経った安政４（１８５７）年に刊行され、幕末の志士たちにも大きな影響を与えました。

小関三英は他にも、地理・地誌の本なども訳しています。『新撰地誌』は、オランダのプリセン（Pieter Johannes Prinsen, 1777~1854）の『世界地理書』（Geographische oefeningen）に基づいたもので、天保７（１８３６）年の完成です。また蘭書から小関三英が抄訳した『新撰地誌第二稿』の一部を、渡辺崋山が筆写校正した『新釈輿地図説』なども遺されております。

科学の分野では、長崎通詞であった本木良永が翻訳した『天地二球用法』などが特筆されます。これは地図製作者であったヴィレム・ブラウが自ら製作した天球儀、地球儀についてオランダ語で解説した手引書で、わが国に地動説を伝えたもっとも古い文献のひとつとされています。安永３（１７７４）年に翻訳が完成しております

また文化７（１８１０）年に翻訳された『硝子製法集説』は、長崎通詞であった馬場佐

十郎が幕命を受けて、複数のオランダ語原書から撰訳したもの。硝子というものが大変稀少であった江戸時代における、もっとも高度な硝子製造法解説書とされております。

また医師として有名な宇田川榕庵は、気圧計や温度計について詳解した『理学発微』や、西洋の化学を体系的に解説した『舎密開宗』（原書はElements of experimental chemistry・1799をオランダ語訳したもの）などを翻訳しております。

医学の分野では、宇田川榕庵の祖父にあたる宇田川玄随（1756～1798）が、ヨハネス・デ・ゴルテルの内科の教科書『簡明内科書』（Johannes de Gorter: Gezuiverde geneeskonst, of kort onderwys der meeste inwendige ziekten, Amsterdam, 1744）を翻訳し、寛政5（1793）年から文化5（1808）年に『西説内科撰要』（全18巻）として出版しました。これが我が国最初の西洋内科翻訳書です。

また蘭方医であり、語学、史学、兵学、宗教学などの洋学を修めた箕作阮甫は、安政4（1857）年に、ポンペによる天然痘、牛痘種痘についての著述の翻訳『種痘畧観』を著しております。阮甫は、江戸幕府の蕃書調所の主席教授で、ペリー来航時には米国大統領国書の翻訳をおこなったことでも知られております。

なぜ日本だけがヨーロッパの書物を翻訳できたのか

ちょっと数え上げただけでも、これほど多数の翻訳書があるわけです。

明治の初期にも医学方面の著書訳書は依然として旺盛でした。たとえば、明治元年には松山棟庵（まつやまとうあん）の『窒扶斯（チフス）新論』、大坂医学校発行のボードウィンの口述書である『日講記聞』や海軍病院刊行の『講延筆記』など、あげればきりがありません。

江戸時代で自然科学といえば数学と医学が主でした。維新直後には物理化学工学などの分野の翻訳も多くなります。日本固有の積み重ねがあった数学と違い、それらの分野では、日本はもともと欧米に対抗しえるものは皆無であり、おしなべて欧米の一方的な輸入直訳だったからです。当時の日本人はそれらの翻訳書によって貪欲（どんよく）に吸収していきました。

海外の書籍を翻訳する——現代人は「そんなの、当たり前じゃないか」と思うでしょう。外国の言葉で書かれた本は、日本語に翻訳しないと、みんなが読むことはできませんから。

しかしこの当時、ヨーロッパの書物を翻訳する力は、アジア、アフリカなど全世界的に見ても、ほとんどの国が持ち合わせていなかった。

アジアでは比較的文明の高いインドや中国でも、海外出版物の翻訳はほとんどしていません。自国語に翻訳したのは、日本だけなのです。

「なぜ日本だけがヨーロッパの書物を翻訳したか？」というところに、私がこの本で主張したいポイントが集約されております。

日本は身分制度がない国だからこそ翻訳文化が発達した。つまり国民全体で海外の技術を会得しようという意識が常にあった、ということです。

身分制度のある国では、海外の知識を取り入れようとか最新の情報を知見するとかは、特権階級である上層部がやればいいのです。だから翻訳して知識を広めることは、逆効果だった。支配層の力を強くするためには、貴重な本は翻訳しないで、英語とかドイツ語が読める一部の支配層が理解して、支配の役に立てればいい。これが世界の国ぐにの基本的思想です。

つまり身分制度、階級制度のある国では、支配層が被支配層を統治しなければならない。日本以外の他の国はすべて、支配層が被支配層を統治していて、厳然たる上下関係がある。したがって海外からもたらされる新知識を上層部の専有にすることによって、国を支配するための道具として使ったわけです。

ところが日本には、この支配被支配関係がない。もとから天皇陛下の下においては、全部同じ「国民」であるという発想ですから。だから新知識は国民が等しく読めなければいいけない——ということで、当たり前のように翻訳するわけです。

07

アジアで「蒸気機関」をつくれたのは日本だけ

翻訳された本だけをたよりに蒸気機関に挑戦

翻訳された海外の新知識によって、さまざまな変化が起こりました。医療もよくなったし、算数や化学が非常に進んだ。影響は広範囲に及びました。

かくして江戸時代末期に、日本ですごいことが起こるのです。これは、アジアでは日本だけが成し得た快挙です。なんと一般の職人が蒸気機関をつくってしまうのです。

それも図面と本だけで。蒸気機関をつくるにあたっては、鉄を溶かすことも必要ですし、それ以上にパッキングをどうするかとか、バルブをどうするかとか、バルブの上げ下げにどういうギアを使うかとか、さまざまな難問があるわけです。
そのいくつもの難問を、こつこつこつこつクリアしていって3馬力のエンジンをつくりあげてしまったのです。

事の起こりは嘉永2（1849）年、かねてより西洋技術の導入に興味を持っていた薩摩の島津斉彬（なりあきら）は、サイドレバー機関やボイラー、外車などについて記されたオランダの本を入手。蘭学者の箕作阮甫に翻訳を依頼し、『水蒸船説略』という日本語訳本をつくらせました。

この翻訳書を基に、鹿児島と江戸で蒸気機関の製作を開始。江戸においては安政2（1855）年に試運転を成功させています。

この蒸気機関を搭載した蒸気船「雲行丸（うんこうまる）」は、設計時の想定出力は12馬力でしたが、実際は3馬力ほど。速力も4〜5ノットほどでした。しかし、これは大変な快挙といえます。翻訳された本だけを頼りに、蒸気機関をつくりあげてしまう――こういう例は、技術的にはちょっと考えられない、あり得ない事例です。

後にオランダの海軍大臣や外務大臣になるカッテンディーケという人物がおります。ウィレム・ヨハン・コルネリス・リデル・ホイセン・ファン・カッテンディーケ。彼は幕末、技師として来日して、この雲行丸を実見して、とても驚いているのです。「簡単な図面を頼りに、蒸気機関を完成させてしまうなんて信じられない！」と。

江戸時代の、日本人職人の技の高さを示したエピソードといえるでしょう。

蒸気機関をつくりあげた職人たち

日本人が蒸気機関と出あったのは江戸後期のこと。嘉永6（1853）年に来日したロシアのプチャーチンや、安政元（1854）年に再来航したアメリカのペリーなどが、模型の蒸気機関車を披露しております。

また、嘉永6（1853）年には、田中久重、中村奇輔、石黒寛二といった人びとが外国の文献を参考にして、蒸気機関車や蒸気船の模型を製作しています。この他にも加賀の大野弁吉や、宇和島の前原巧山などが蒸気機関の製作に取り組んでいます。

面白いのは、彼らがみな職人であることです。

田中久重、中村奇輔、石黒寛二の3人は佐賀藩の精錬方という役職についていました。もともと田中は町の発明家、中村は火薬の調合などを得意とする化学系蘭学者、石黒は翻訳の専門家です。

田中久重は、「からくり儀右衛門」の通称のほうが通りがよいかもしれません。寛政11（1799）年に筑後国久留米の鼈甲細工師・田中弥右衛門の長男として生まれ、幼い頃から、神社の祭礼で用いられたからくり人形の製作に才を発揮した、と伝わります。

20代の頃には九州のみならず、大坂、京都、江戸などの大都市においてからくり興行をおこない、全国的に知られるようになりました。皆さんもご覧になったことがあるでしょう。弓をひいたり、文字を書いたりするからくり人形です。

天保5（1834）年には大坂に移り住み、折りたたみ式の懐中燭台や、圧縮空気により自動で灯油が補給される「無尽灯」など発明。その後は京都へ移り住んで天文学の知識を究め、弘化4（1847）年に天文学を学ぶために天文博士の土御門家に入門。嘉永4（1851）年には、有名な「万年自鳴鐘」（万年時計）を完成させています。芝浦製作所の創業者としても知られております。

田中久重らが製作した蒸気機関車の模型

大野弁吉という人がまた、ユニークな存在です。享和元（1801）年に、京都の羽根

細工師の家に生まれたといわれております。幼少期に、比叡山・延暦寺の寺侍だった父・佐々木右門の養子になり、四条派の日本画を学んだり、彫刻作品をつくったりしていたようです。ところが20歳頃に長崎で蘭学を学びました。それも語学、医学、理化学、天文学、航海術などと多岐にわたっていたようです。その後、対馬から朝鮮に渡って見聞を広めた、とも伝わっています。

30歳くらいのときに加賀国石川郡大野の中村屋八右衛門の長女うたの入り婿となり、同地に移り住んだことから通称を大野弁吉と呼ばれるようになりました。ことに、からくり人形の製作に才能を発揮したことから「からくり弁吉」などとも呼ばれ、エレキテルや写真機を自在にあやつり、さまざまな発明品を世に送り出しています。そのうちのひとつが、

万年時計こと万年自鳴鐘（和時計）

©朝日新聞社／amanaimages

蒸気機関の模型であったわけです。

　前原巧山は、八幡浜の商家の息子に生まれました。父親を早くに亡くして家が没落し、目貫師、刻み煙草屋、仏具や具足の修復師、提灯屋など、職も棲み処も変えて転々としていたといわれています。たまたま宇和島に戻ったさいに、藩主伊達宗城が蒸気機関に興味を持っていたため、「あいつなら器用だし、できるのではないか?」と、蒸気船製作に起用されたのです。彼はさまざまな辛苦を乗り越えて、安政6（1858）年に、蒸気船を完成させています。もともとが市井の、それも職も定まらないような人でしたから、はじめのうちは賛同や協力を得ることも難しかったようです。それでもやがて技術が認められ、大事業の完成に結びついたわけです。

　彼らはみんな支配階級の人ではありません。市井の職人のような人たちが、蒸気機関という難問に取り組んだのです。

第4章

日本一国が「近代化」に成功した理由

08

世界最大の軍艦を生んだ「長崎造船所」

中国と韓国にはできなかった近代化

今では日本が近代化に成功したことは当たり前のように思われてますが、お隣りの中国は近代化できなかった。それは何故か？　という疑問が当然起こります。

文科系の人間がこれをひもとこうとして歴史的・構造的に分析すると、中国は皇帝がこうこうで、法律がこうこうで、中華思想がこうこうで、朝貢貿易をやって——というような説明をします。

そうした背景ももちろんありますけれど、私のような理系人間から見ると、日本の技術が近代化してすぐヨーロッパに追いついたのは、日本の社会自身に支配構造がなかったことによるところが大きいわけです。

数学などもそうです。江戸の町人の間では、かなり難解な高等数学もクイズという位置づけなのです。その数学クイズが江戸時代には、ものすごく流行りました。

たとえば、現代でも難しいような方程式を解くとか、非常に難解な文章題である植木算を解くとか、そういうことを庶民が半ば遊びとしてやっていた。侍などの支配者がやっていたわけではなく、庶民が楽しみとしてやっていた。そういう日本のフラットな感じが非常に、日本が近代化するさいに、技術の向上の役に立ったわけです。

幕末においても、日本人のフラット性、階級性のなさ、日本人の興味の持ち方などが非常にいいように作用しています。

外国人技術者が驚愕した長崎造船所

たとえば、「長崎造船所」です。幕末に、徳川幕府は長崎に造船所をつくりました。

幕府の長崎海軍伝習所総取締であった永井尚志は、海軍伝習所における軍艦スームビング号の訓練を担当します。そこで軍艦を実戦に使用するためには単に操舵ができるだけではなく、絶え間なく起こる破損や故障に対処しなければならないことを知ります。これが日本最初の造船所である長崎造船所ができるきっかけとなったのです。

しかし実際に飽の浦に機械工場の建設に着手してみると、大きな困難が待ちかまえてい

長崎造船所（1912年）

©Alamy Stock／amanaimages

ました。オランダから主要な機械は運んできたものの、日本には工具や補助的な器具はほとんどない。なにか必要なものがあるとオランダまで取りに行かなければならず、とんでもなく非能率でした。それにオランダ人と幕府の官吏との関係もままならない。

一連の流れは、安政4（1857）年に「長崎鎔鉄所（ようてつしょ）」の建設着手。万延元（1860）年に「長崎製鉄所」と改称。文久元（1861）年完成という時系列です。

長崎造船所は、安政2（1855）年から実施された、海軍伝習所の併設施設でした。

その後、永井玄蕃頭（げんばのかみ）の決断で発注された造船所は、オランダの海軍士官ハルデスが総指揮をとり、1861年5月に鎔鉄所（製鉄所）

として日の目を見ます。この工場は鍛冶、工作、鎔鉄の3つからなり、官営となった後の1879年には立神に東洋一の第一ドックを完成させています。

長崎海軍伝習所というのは、江戸幕府が海軍士官を養成するための訓練場のことです。幕臣のみならず他の藩士なども参加させ、オランダ軍人を教官として、蘭学や航海術などを学ばせました。

幕府の施設ですから、トップは幕府の役人です。幕臣である勝海舟なども刀を差しながら、オランダ国王から送られたスームビング号などをテクストとして蒸気機関を勉強するわけです。

その2代目の教官が、先ほどもちょっと触れましたカッテンディーケです。このとき彼は、技師として任官いたしました。そのカッテンディーケが非常に驚いている。「他のアジア人は蒸気機関を前にすると、みんな後ずさりしていた。ところが日本の武士は刀を差して浴衣みたいなものを着て、そして甲板で小便をする」。そんな具合に、ちょっと野蛮なのに積極的にスパナを持って蒸気機関を理解しようとした、と。

1859年には観光丸のボイラーの取り替え工事ができるまでになっていました。造船所を訪れたイギリスの軍医レニーは、こう言っています。

「八月七日長崎の日本蒸気工場を見学。これはオランダ人の管理下にあり、機械類は総てアムステルダム製であった。所内の自由見学を許された我々はすみずみまで見て回ったが、なかなかの広さであった。そして、この世界の果てに、日本の労働者が船舶用蒸気機関の製造に関する種々の仕事に従事しているありさまをまのあたりに見たことは確かに驚異であった」

また、オランダ海軍の技を伝習した彼らは、オランダ人の手助けを拒否して、長崎の造船所から江戸まで、日本人のみによって蒸気船を回航すると宣言しました。オランダ人は「そんなことできるのか?」と驚いてしまうわけです。結局、たしか2人くらいオランダ人が乗船したものの彼らの手は借りずに、完全に日本人だけで江戸に回航してしまうわけです。これはもう要するに、日本人のフラット性といいますか、みんなでやろうという日本的思想の固まりみたいなエピソードです。

西洋の文明が届くはずもない、この「世界の果て」にできた日本最初の近代的造船所は維新後、長崎造船所と改称。やがて三菱のドル箱のひとつになり、大東亜戦争では世界最大の軍艦「武蔵」を生むのです。

09

日露戦争の勝因となった火薬と信管の技術

ロシア人が恐れた「下瀬火薬」の威力

明治時代初期の文部大臣で森有礼(もりありのり)という人物がおりました。「近代化の力をつけるには、日本人の識字率――つまり字を読める比率を高くすることが一番である」と識字率の上昇に尽力した結果、明治30年頃には、大英帝国を抜き日本人が世界中でもっとも識字率の高い民族になりました。

この識字率の高さも繰り返しますが、日本式の平等思想の賜物なのです。要するに国民全員に教える、学ぶという精神です。かくして日露戦争が起こる頃には、兵士は全員、読み、書き、そろばんができる状態になっていたわけです。

しかも江戸後期から幕末という、非常に早い段階で翻訳された西欧知識の影響から、化学も非常に発達いたしました。その結果、生まれた画期的なものが「下瀬火薬」と「伊集院信管」です。

このふたつの発明が日露戦争の直前に東大でつくりだされたことにより、日本の勝利に大きく貢献したのです。

では、下瀬火薬と伊集院信管が日露戦争でどういう役割を果たしたか？

日露戦争のさい、バルチック艦隊は北海を発し、アフリカ喜望峰を経由して、そして日本海で東郷平八郎の率いる日本の連合艦隊と戦います。

その戦いが日本の大勝利に終わったのは、もちろん東郷元帥の指揮もよかったし、敵艦隊に対し、丁の字の一に位置取り多くの火砲で射撃する丁字戦法という戦法も優れていたし、水兵の訓練も素晴らしかったのですが、下瀬火薬の威力によるところも大きい。

ロシアで用いられていた火薬は「黒色火薬」。ですから一発バーンと撃つと、硫黄の煙が山ほど出て、その煙がおさまるまで次の弾は込められない仕掛けになっています。そのため連続で撃つことができなかった。

対して日本軍が用いた下瀬火薬は、硝酸型という煙がほとんど出ない火薬のため効率が段違いだったのです。

下瀬火薬を発明したのは、海軍技師の下瀬雅允(まさちか)です。ピクリン酸を主成分とした「黄色火薬」で、砲弾の威力を格段に上げました。ピクリン酸は金属と反応しやすいのですが、鉄に漆を塗ることで防げることを発見し、まったく新しい砲弾を完成させました。しかしその実験をするために、下瀬自身は爆発事故でたびたび重傷を負いました。それでもめげずに、素晴らしい発明をしたのです。

下瀬雅允
(1860〜1911)

もちろん世界で初めての発明品でした。その火薬のおかげで、日本艦隊は次々に大砲を撃つことができたわけです。

しかも下瀬火薬は威力が段違いで、爆発するだけではなく、命中した瞬間に激しい熱を発して、敵の甲板上のものをすぐさま焼き尽くします。これに巻き込まれた水兵は、みんな焼け死んでしまう。ですから甲板に一発当たると、相当な攻撃力が発揮されたのです。

ユニークな発想の「伊集院信管」

次に伊集院信管です。信管というのは、大砲の弾の前についていて、弾薬を作動させるための火薬類を内蔵する装置のことです。火薬だけでは大砲の弾は爆発しません。よく聞く「不発弾」は、この信管が作動しなかったものです。信管は少しの衝撃にも敏感に反応することが求められる。したがって不発弾の信管を抜くのは、ものすごく大変な作業で、慎重にそっとやらないと危険です。

伊集院五郎少将によって開発された信管なので、この名が付きました。伊集院信管は敏感で砲弾が海面に落下したり、マストに張られた綱に当たったりしただけでも爆発したといいます。現代人である私から見てもユニークで、「まったくものすごいものをつくったものだなあ」と感心してしまいます。これこそ「日本人の発想」というものでしょう。

大海原のスケールから比べれば、艦船というのはごく小さいものです。また、当時の大砲は、6000メートルから8000メートル離れたところから撃つため、船体に命中するということは、ほとんどない。大抵の砲弾は、艦船の周辺に落ちてしまう。しかし伊集院信管は海面に落ちても爆発し、その破片で敵にダメージを与えることができるのです。

日露戦争の日本海海戦のさいの日本の旗艦は、三笠でした。丁字回航してくる三笠に対してロシアの軍艦がどんどん弾を撃ったものの、船体には1発しか当たらなかった。それで生き延びたわけです。

この伊集院信管と下瀬火薬発明の第1の要因は、江戸の末期に海外の科学技術を記した書籍を、日本語に訳していたことがあげられます。これで日本人の技術レベルがぐっと上がった。

日露戦争を分析する世界の研究者たちはみな、「日本はどうやって当時一番強かったロシアに勝ったのだろう」と首をかしげます。その要因は、もちろんひとつではありません。

日英同盟、ロシア帝政の弱体化、日本人の精神的努力などがあげられるし、日本海軍が計画的に戦艦を発注してきた計画性も勝利に寄与しています。そういうものが全部一緒になって、日露戦争の勝利をもたらしたのではないか、と私は考えます。よくい

伊集院五郎
(1852〜1921)

われる「精神論」だけではもちろんありません。

「エリートなき国」の底力

日本人はお上に任せず、「みんなでやろう」という姿勢があります。この姿勢が敗戦後にもあって、大復興や高度経済成長に結びつきました。

松下幸之助や本田宗一郎といった人たちは、武士や貴族の出身ではありません。市井の人々です。仲間と一緒に、みんなで技術を開発して日本の経済発展に貢献したわけです。

ところが1990年を超えると、たとえば「ISO 9000」といった品質マネジメントシステムに関する国際規格に準じるようになります。

文書にして蓄積して、論理的に積み重ねて、修正を繰り返すやり方に無理やり合わせようとしました。しかしこれは、まったく日本的ではありません。

確かに欧米のエリート型社会では、エリートが非常に高度な学問や研究によって、根本的な発明を生みだします。飛行機や自動車、製鉄方法を開発し電気をつくりだすといった画期的な発明は非常にレベルが高いため、エリート型でしか成立しえない。

ところが、ひとたび自動車や飛行機や火力発電所ができると、あとは日本のような集団の力が強い社会が牽引(けんいん)していきます。

故障が少なく、使いやすい製品を次々に生み出して、世界に冠たるものができるわけです。それが日本の工業を支配してきました。

1990年以降は、日本もエリート型の社会をつくろうとしますが、日本に本当のエリートはいません。せいぜいヨーロッパのおいしいワインを知っているといったスノッブ(俗物)の類(たぐい)で、開発者としては使い物にならない。

たとえばアメリカの大学の超エリートというと、大学でだいたい180単位ぐらい取ります。内容的にも非常に難しいカリキュラムに取り組む。

ところが日本では124単位。全員が同じように124単位を取って、大体同じような実力で卒業させる。大学教育まで、あまりにも日本的です。

なぜ日本でエリート教育がうまくいかないかというと、もともとエリートという階級意識がないからです。せいぜい修士止まり。もともと資格というものはみんなが取れないから意味を持つので、日本のように誰でも取ろうと思えば取れるレベルでは本末転倒です。

日本はエリートではなく、役割を分担する分担社会です。だから日本人は哲学とか、量子科学といった分野においては、活躍しづらい。アメリカ的エリートのような発明品をつくることが苦手です。

しかし日本は発明された技術を応用し発展するとなると、たちまちのうちに世界一になります。ですから今の日本の技術と企業の停滞の原因は、欧米化にあると断言できるのです。

現在、30年にもわたる停滞の時期に、日本をリニューアルして、近現代的な形で復興させるということは、とても大切なことです。

そのためには5万年にわたる日本人の気質なり、技術なり、そういう系譜もよく理解したうえで、なぜ日本が江戸末期に、西欧の本を世界でたった一国だけ翻訳しえたのか、思い起こしてみるべきです。かつて日本には繁栄の歴史があったのだということを、まずは再確認することが重要であると強く思います。

第2部 ざんねんな技術

第5章 挫折した3つの「夢の技術」

10 オンネスが発見した奇跡の「超電導」

第1部で見てきたように、日本にはどの時代にも素晴らしい技術を生み出してきた歴史があります。その半面、世のなかには「ざんねんな技術」というか、原理を発見したものの、実用化に至らなかったものも少なくありません。

時間の経過とともに地下に埋もれてしまった技術や、社会環境に揺さぶられてだめになってしまう技術など、いろいろあるわけです。

そこで、この第2部では、ざんねんな技術の典型的なものをいくつか紹介しましょう。その大きな理由が、必ずしも技術そのものにあるのではなく、時代の風潮が研究者に与える影響の大きさについても警鐘を鳴らしていきます。

電気抵抗がゼロになる「超電導」の何がすごいのか

最初に紹介したいのは1911年に発見された超電導です。「超電導」とは、物質の温度をある温度（転移温度）以下に下げると、電気抵抗がゼロになり、電圧をかけなくても

超電導電気抵抗がゼロ

直流では電気抵抗がゼロのため損失が発生しない。

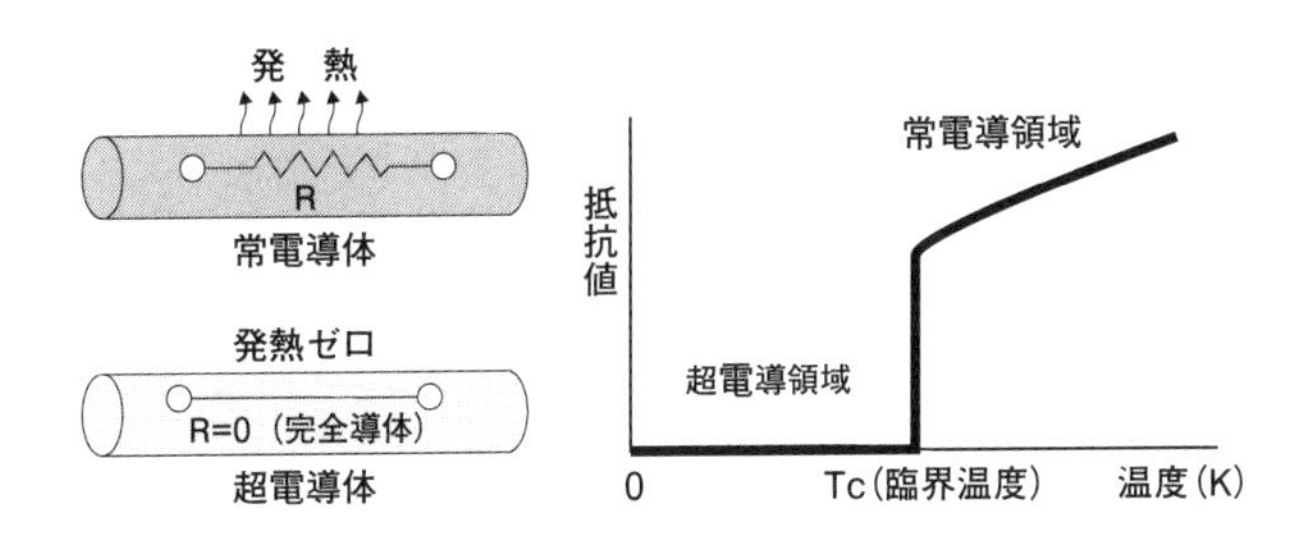

電流が流れ続ける現象のことです。

発見したのは、オランダの物理学者カマリン・オンネス。彼はオランダの片田舎で低温における物理現象を研究すべく、こつこつと純金属である水銀の温度を下げていました。

一口に温度を下げるといっても大変で、たとえば氷を使って0度まで下げられることはわかっても、0度以下にするためにどうすればいいのかわかりません。現代では当たり前にある業務用冷凍庫でもせいぜいマイナス25度。冬のシベリアでさえマイナス60度までしか冷えない。それをマイナス260度とか、マイナス270度まで冷やすのは大変です。

そこで、当時は沸点の低い気体を液化する研究が盛んにおこなわれました。

沸点は水の場合は摂氏100度（正確には摂氏99・9

74度）です。たとえば窒素なら沸点がマイナス196度、同様に酸素はマイナス183度、水素がマイナス253度と圧倒的に低い。こうした沸点の低い元素の液化が次々と成功するなかで、最終目標だったのが沸点約マイナス269度のヘリウム。この液化に成功したのがオンネスで、液体ヘリウムを使って冷却しました。なぜそのような実験をしたのか。

それはある金属を冷却すると、絶対零度で抵抗がゼロになる現象を証明するためでした。金属など電流が流れる「導体」には、その流れを止める「抵抗」というものがあります。たとえば電圧を加え電流を流すと、電子が金属の原子や分子と衝突し、熱エネルギーを発生する。電熱器はその法則を利用しているわけです。

電圧（V）と電流（I）と抵抗（R）の関係を示すと、

V＝IR

となり、これが有名なオームの法則です。1826年に発表されたゲオルグ・オームというドイツの学者からの命名になります。

つまり「電圧は抵抗に比例して、電流に反比例する」わけです。電流からみれば、抵抗が少ないほうが高くなるのです。

したがって電気を流す電線には、そうした抵抗の少ないアルミを利用しています。しかしそれでも抵抗があるため電圧は必要なのです。

物質というのは、温度が高いほうが物質を構成する分子や原子の運動エネルギーが高まるため活発になる。反対に温度が低くなれば、分子や原子の運動エネルギーは下がります。同様に電気抵抗も温度が下がれば下がるほど抵抗は低くなります。なぜかというと、抵抗というのはその名のとおり、電線である導体の原子が電子の動きを妨げているものです。ところが温度が下がることにより、それがおとなしくなるからです。妨害をしている原子の原子核や電子の振動が減れば、電子と衝突する確率も減り、通りやすくなる。すなわち電気抵抗が減るわけです。

そしてその温度が絶対零度（マイナス273度）になると、抵抗がなくなると予想されました。

学者の執念が「世紀の大発見」を生んだ

その現象自体は、1904年にイギリスの物理学者ウィリアム・マーティセンが提唱していたものでした。実際、温度が低くなると金属の伝導率が高まり、抵抗値が小さくなることを実験で証明していたのです。

マーティセンの実験結果により、少なくとも理論的には絶対零度で電気抵抗がゼロになる可能性は証明済みだった。

ようするにオンネスは、理論的にはすでに証明されていた電気抵抗がゼロになる実験をわざわざ膨大な費用と時間をかけておこなったのです。

普通に考えれば、無意味なことをやっているように見えます。当時、オンネスの周囲にいた人たちも超電導を発見する前日まで無駄な実験はもう止めるよう忠告します。それでもオンネスは実験を続ける。

彼の実験ノートを見ると、温度をマイナス260度、マイナス261度、マイナス262度と下げていくと、理論どおり少しずつ抵抗が下がっているのがわかります。グラフは絶対零度に向かって抵抗が減少する直線を描いている。

なるほど理論どおりマイナス263度まで直線だから、その後も直線は継続するだろうと測定を打ち切ってもいいはずです。それでもオンネスはなおも続けた。すると面白いことに、マイナス273度に到達する前のマイナス269度で、突然抵抗がゼロになった。つまり絶対零度ではなく、ある温度になると電気抵抗がゼロになる超電導物質が存在することを発見したわけです。

そこが神様というか歴史というかわかりませんが、不思議なところです。学問は一見無意味な研究から、このような偉大な発見が導き出されるのです。そして世界中がびっくりしました。最初はほとんどの人がそれはウソだ、実験の間違いだと非難したほどです。オームの法則では、電流が流れているかぎり抵抗がゼロになるはずはない、と。挫折しなかったオンネスは偉い科学者だと思います。

「常温超電導」は迷走中

やがてオンネスの発見が本物であることを認め、マイナス269度よりも手前で抵抗がゼロになる物質が発見されるようなる。

なかでも室温（20℃、約293K）でも超電導を起こす「常温超電導」をめぐって議論が活発化します。1930～40年代の頃です。そして世界大戦をはさみ、1960年に研究が再燃し、80年から90年ぐらいが常温超電導研究の一番盛んな時期でした。

たとえば電線で電気を通すと、発電所から家庭用までの配電でも20％の電気が熱となって消耗してしまいます。これが超電導電線を使えばロスをゼロにできる。発電所の出力を

20%上げるのと一緒なわけです。

それから「超電導電磁石」という超電導体で丸い磁石をつくって、そこに一回電気を流せば永久に電流が流れていることになる。まるで「永久機関」です。

常温超電導が実現すれば、莫大なエネルギーが必要となる冷却コストが不要となるため、超電導の持つメリットをより広い分野で活用できることが期待されるわけです。

たとえばエネルギーの発電や送電、家庭用電化製品など、さまざまな分野で電力損失を大幅に削減できる。超電導リニアの速度や輸送効率をさらに向上させられるし、MRIの性能も向上させられる。

電子機器や自動車などの製造工程を効率化できる。小型で低価格の量子コンピューターや、脳波を読み取るコミュニケーション・ツールの実現などが可能となります。

しかし2024年にいたるも、まだ実現していません。

オンネスが出てきた時代と違って、凡人の科学者が一生懸命実験しています。ところが、彼らのこだわりはなにかといえば、自分の論文を参考にした人の数が多いとか、くだらないことで威張るようになる。文部省（現文科省）もそういう人たちに予算をつける俗世界になってしまっています。科学の面白さとか人類の進歩というものから大きく離れてきたのが原因です。

オンネスのように理論でわかりきっていることであろう実験を愚直に繰り返し、苦労を重ねているうちに超電導現象を発見できたのです。ところが現代は新たな理論を活性化させるような天才が生まれにくい社会になってる。技術の問題だけではないのです。

11 「夢のエネルギー」核融合

太陽並みのエネルギーを生む核融合炉

2番目のざんねんな技術は、石油や天然ガスのような化石燃料を使わずに無限のエネルギー供給が可能とされる「核融合」。「地上の太陽」ともいわれるこの技術は、温暖化ガスを排出せず、燃料の制約もないため、「カーボンニュートラル（脱炭素）の達成」においても期待されています。

核分裂と核融合は、どちらも原子核の構造を変化させることにより大量のエネルギーを放出する現象です。周知なのは、広島・長崎に落とした原子爆弾や原子力発電の仕組みである「核分裂」のほうでしょう。

これは重い原子核が分裂して軽い原子核になる現象です。たとえばウランが分裂してバリウムとクリプトンになる、というように。

一方、核融合は、反対に軽い原子核が合体して重い原子核になる現象です。水素と水素が合体してヘリウムになるのが一例です。

核融合炉の燃料に用いる重水素は海水中に豊富に存在しているため、低コストで莫大なエネルギーを得ることができると期待されています。

ちなみに、原子核のなかで一番安定しているのは鉄です。鉄の原子核は、陽子と中性子がバランスよく配置されており、核子間の結合力がもっとも強いことが知られています。そのため鉄よりも原子番号が小さい元素は、核融合によって鉄に変化しようとします。反対に鉄よりも原子番号が大きい元素は、核分裂によって鉄に変化しようとします。

核分裂反応を利用した原子力発電と比較すると、核融合発電はエネルギー効率が非常に高く、核廃棄物を減らすことができます。このため、「環境に優しいエネルギー源」として期待されているのです。

核融合反応によって生み出されるエネルギーは、原子核同士の結合によって放出されるため、非常に大きなエネルギーが得られます。つまり少量の燃料で多くのエネルギーを生み出すことができるのです。

「常温核融合」ができても炉壁の課題は同じ

実は核分裂だけでなく、核融合もすでに実用化されています。水爆がそうです。水爆では重水素とトリチウムの混合物の核融合を導くことにより、莫大なエネルギーを放出させているのです。

それから核融合炉の実現に向けて、さまざまな試みがなされています。核融合実験炉イーター（ＩＴＥＲ）によって、瞬間的になら核融合自体はできているのです。

これは核融合エネルギーによる発電が科学技術的に成立することを実証するための装置で、その中核はドーナツ型の超高温プラズマとなっており、このプラズマのなかで核融合反応が起こる仕組みになっている。

なぜ超高温のプラズマをつくり出さなければならないかという疑問がわいてくるでしょう。実は核融合を起こすには、原子核の周りにある電子を全部取り払うために必要だから

核融合のしくみ

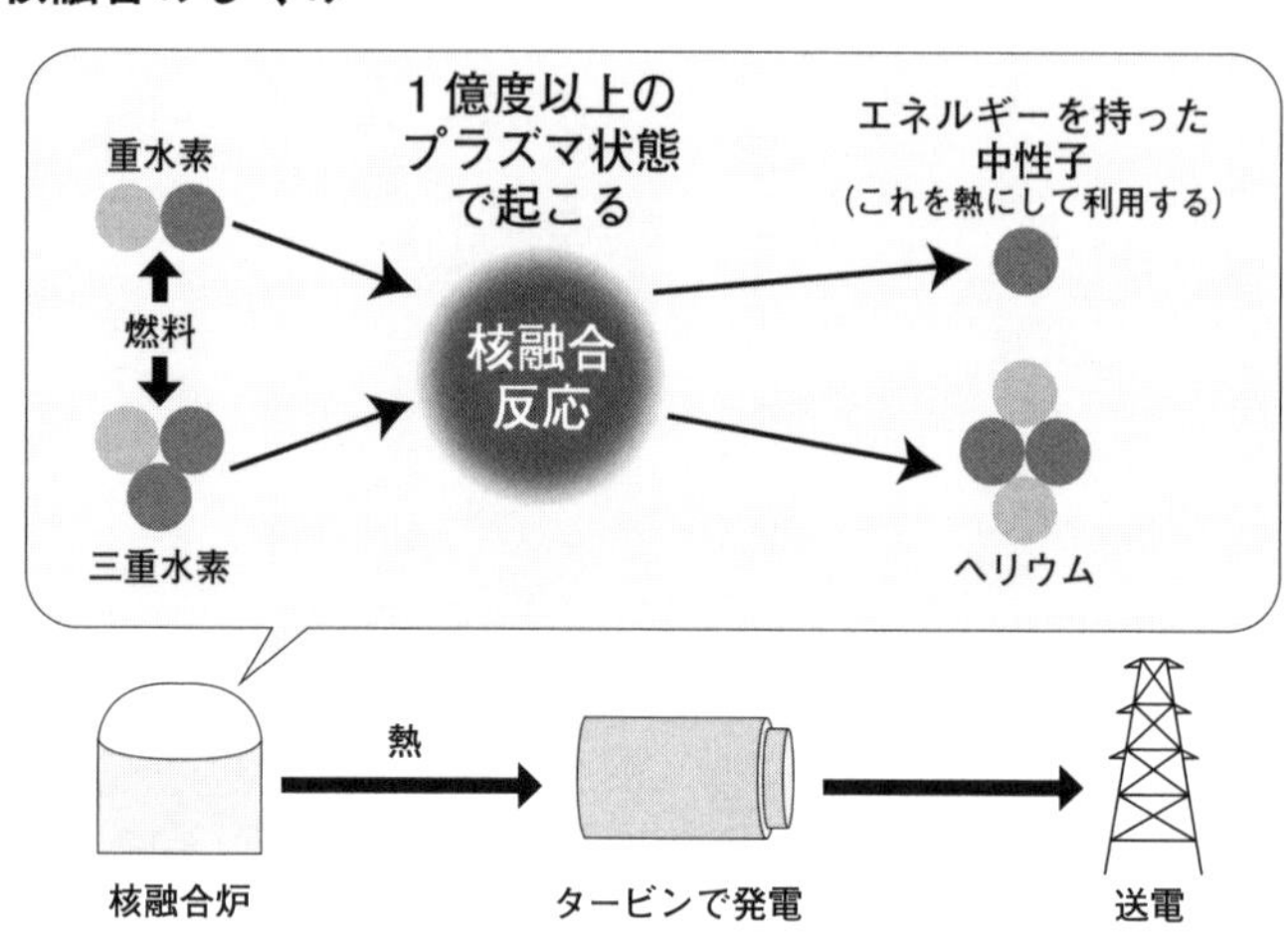

です。超高温高圧の「プラズマ」状態になると、原子核が秒速1000キロという超高速で動くことが可能となります。つまり原子核同士がぶつかることで核融合反応が起きやすくなる。

物質は温度が上がるにつれて固体→液体→気体へと変化し、さらに温度を上げて気体から変化した状態が「プラズマ」です。そのため物質の「第4の状態」ともいわれています。いなずまやオーロラを思い浮かべていただければ、イメージできるかと思います。

ただし地上に太陽をつくるようなものである核融合は、その太陽を閉じ込めるに足る炉壁の開発が課題となっています。さもないと、みんな焼け死んでしまう。

光の速度で8分17〜19秒もかかる遠い距離にあるから、太陽は熱として利用できるだけで、その距離を埋めるほどの耐熱衝撃性を持った材料が必須(ひっす)です。現在一番いい素材はタングステン。タングステンは、金属のなかでもっとも融点が高く、蒸気圧が低いため、高温加熱炉用部材などの高熱負荷環境下で使用されています。

ところが核融合はあまりに高温なのです。大体3000度くらいまでなら何とかなるのですが、6000度とか、下手したら1万度になると、もたない。

超高温のプラズマを磁気で閉じ込めるトカマク炉という特殊なものをつくってます。それでも輻射熱(ふくしゃねつ)(放射熱)が出るから、ストーブに直接手をあてるようなもので、ものすごく熱い。加えてプラズマを維持するための装置は非常に高価。ですから核融合自身はできても、実用化には至っていません。

また、「常温核融合」という通常の核融合反応に必要な超高温ではなく、常温(数百度)で起きるものも期待されています。原子核の外側の電子を外すのに電気や重力、それとも他の力を使って外すことが試されています。

ただ常温で核融合させたとしても、実際に核融合が始まれば温度が急激に上がるため、通常の核融合と同じ問題が発生します。ここに技術的な限界があります。

核融合によって発生した超高温の熱をどうやって閉じ込めるか。今の段階では水を流して、沸騰させることによりスチームにしてタービンを回し、熱電を冷却しています。また「熱電子変換素子」という新しい方式もあります。熱電子変換素子に電流を流すと、一方の面で熱が吸収され、もう一方の面で熱が放出される。この熱の移動によって冷却効果を得ることができるのです。

しかし今のところ、1万度の熱の閉じ込めができる可能性はまったくありません。

理学と工学の違いを理解していない

核融合については、よく人びとの話題にのぼります。ですが大前提として工学とは、理学とは違うということを理解していないようです。核融合を例にとると、核融合の原理やメカニズム、核融合反応を起こすための条件などを研究するのが「理学」です。実際に核融合発電装置の設計・開発・製造・運用などの技術を研究するのが「工学」です。

安全性の担保が工学には必要です。ですから理学が発達して成功したものを工学にするためには、5倍も効率が下がるという話もあるわけです。理学の成果と工学の成果はかくも違う。工学とは、人間が科学的原理を利用する方法を発見しなければならないもので、大変なことなのです。

エネルギーという点で見れば、「究極埋蔵量」といって、確認埋蔵量などから推定した最終的に人間が掘ることができる石油の量は550万年から600万年と言われているくらいです。だから無理して核融合炉をつくる必要はない。しかし化石燃料を使いすぎると温暖化問題が発生したように、科学の進歩がどんどん社会的な影響を与えることがわかってきています。

特に「夢のエネルギー」である核融合の報道には、ウソが多いので注意が必要です。たとえば2022年12月22日、NHKはアメリカのエネルギー省が核融合で歴史的な成果が出たと発表しました（「〝核融合実験〟効率よく十分なエネルギー発生に成功」）。あたかも人類が間近に核融合技術を使えるかのように報じられたのですが、NHKのフェイクにすぎず、中身はなんてことない。核融合させる方法のひとつとしてレーザーを使うものがありますが、目新しいものなどではなく、むしろ遅れた技術です。日本やヨーロッパでは採用していません。

ですから正確には「核融合を起こす数ある方法のなかでも遅れていた技術が今回初めて成功した」と伝えるべきです。

こうした報道を見るにつけ、理学と工学の差もわかっていないのだと思います。こういう社会的風潮により技術が歪(ゆが)められていく。日本でも欧米でも過剰な期待に資金ばかりが集まっている状況です。

研究が始まってから半世紀以上経つ核融合ですが、超電導の研究が行き詰まっていることと同じような経過をたどって、社会が技術をダメにしていく例証をひとつ加える結果になるのではないかと、危惧(きぐ)しています。

12

「夢の原子炉」高速増殖炉

「フェニックス」「もんじゅ」という命名にこめられた期待

ざんねんな技術の3本目は「高速増殖炉」。この技術も、核融合とほぼ同じような原因で実現していません。

ですから、このふたつの例は、今後技術者を志す人にとって非常に参考になると思います。

高速増殖炉というのは、核融合に比べて実用化の技術は格段に進んでおります。実際、フランスは電気出力25万キロワットの非常に大きな高速増殖炉の試験炉「フェニックス」を製造していたし、日本でも1994年、福井県敦賀市に高速増殖原型炉「もんじゅ」を初臨界し、1995年から2010年まで実証運転がおこなわれていました。

しかし両者とも相次ぐ事故のため停止し、2009年にフェニックスが、2016年にもんじゅが廃炉を決めています。

なぜそのような高速増殖炉が夢の技術と期待されていたかというと、発電しながら消費した燃料以上の燃料を生産することができるからです。つまり5本の薪が燃えて灰になったと思ったら6本の薪に増えて、新たに燃やすことができるといった手品のような話なのです。燃料が増えるから「増殖」炉といいます。

プルトニウム239に高速中性子を当て核分裂させたあとに、生じたウラン238に中性子を吸収させることによりプルトニウム239を再生産する。

ここでポイントとなるのはウラン238です。ウランには235と238という同位体があります。普通の軽水炉原発に使用されているものは前者で、238は核分裂がしにく

原子炉の比較

	分裂に寄与する中性子	燃料	減速材	冷却材	転換比※
高速増殖炉（FBR）	高速中性子	核分裂性プルトニウム 約16〜21％ 劣化ウラン 約79〜84％（ブランケット燃料は劣化ウランのみ）	—	ナトリウム	約1.2
軽水炉（BWR PWR）	熱中性子	ウラン235 3〜5％ ウラン238 95〜97％	軽水	軽水	約0.6

※転換比：燃料の燃焼1.0に対して新たに生成する燃料の割合

いため使われてきませんでした。

地球が誕生したとき、核分裂しやすいウラン235が約30％を占めていました。ところが地球ができてから46億年が経ち、その間にどんどん分解して、現在は0・72％にまで減った。したがってウラン238を使用できるもんじゅは、残りの99・3％を有効活用できるのです。減る一方のウラン235を使用する軽水炉原発の約100倍ものエネルギーを生み出せる。もんじゅが「夢の技術」だといわれるゆえんです。

だから、みんながこれに飛びついた。火の鳥のように死んだはずのものが蘇る（よみがえる）からフランスでは「フェニックス」、知恵を司る文殊菩薩（もんじゅぼさつ）からとって日本では「もんじゅ」と、期待をこめて命名をしたわけです。

ナトリウムのワナ

高速増殖炉のネックは、水の代わりに使用するナトリウムにありました。核融合炉と同様に、発生した高温の熱を炉心から外部へと取り出す必要があり、そのさい軽水炉では水を使います。

このように水には「冷却材」としての役割と、核分裂でウランやプルトニウムから発生した中性子の速度を遅くし、次の核分裂を起こしやすくする「減速材」としての役割を果たしています。

軽水炉で使用するウラン235は、中性子のスピードが遅いほど核分裂させやすいので、水で構いませんが、中性子の数はおよそ2個で、もんじゅのように増殖はできません。

一方、もんじゅが使用する高速中性子とプルトニウムの組み合せでは、およそ3個の中性子が発生するので増殖可能です。ただしそのためには、核分裂の際に飛び出してくる高速の中性子のスピードを減速させない冷却材が必要となるのです。

そこで中性子に比べて約23倍重く、中性子のスピードをほとんど減速させない液体ナトリウムが採用されました。

水と液体ナトリウムを変えても大きく仕組みが変わるわけではありません。

原子力発電の仕組みは、水を加熱し、水蒸気を使ってタービン発電機を回し、電気をつくります。一方、高速増殖炉はその工程が少し複雑になるだけで基本原理は同じ。そのため、かんたんにできると思われていました。

しかしナトリウムには、水と接すると爆発するという大変危険な性質があります。たとえば津波が押し寄せて福島原発のような事故が起こったときに、ナトリウムが漏れ出して海水と混ざると、原発は爆発して木っ端みじんになります。それ以前に空気中の水分だけでも爆発するので、軽水炉原発よりリスクが桁違いに高くなるのです。

実際、フェニックスは炉外燃料貯蔵槽からのナトリウム漏洩事故、１次冷却材のなかへ空気が混入した事故などが続いたことにより中止になりました。

もんじゅもナトリウムが漏洩し、空気と触れて燃焼が発生した事故を１９９５年に起こし、10年ほど止まっていました。のちに温度計さや管の設計が不適切であったのが原因とされ、それがナトリウムの流れによって振動し、破損したと検証しています。

結局、一旦事故を起こすとナトリウムを抜き取るのが非常に困難なのです。高速増殖炉の事故の大半がこのナトリウムの問題で、材料が悪いのです。ところが、冷却材と減速材としてナトリウム以上のものがない。

それが、やっと技術的にも社会的にも解決して、2010年8月に運転の準備を始めたところ、今度は炉内中継装置をつり上げ作業中に落下させる事故を起こしました。

原子炉容器内に落下した中継装置は3・3トンと重たいもので、日本原子力研究開発機構は、同年10月1日「落下による影響はない」として装置の引き上げ作業を24回続行したものの、いずれも失敗。なんと炉内中継装置の引き抜きが完了したのは翌年6月24日のことです。

責任の所在をあいまいにしたまま税金を投入

もちろん事故が起きること自体問題はありますが、それよりも遺憾なのは、その事故の原因をあいまいなままにすませたことです。中継装置を吊り上げようとしたオペレーターのミスなのか、部品や機器の設計に問題があったのかはっきりしない。

国は最終的にそれを納品した企業に約21億円もの復旧費用を支払って、修理器具を受注しました。つまり、理由が不明なまま税金が使われたのです。

もんじゅは停止中でも1日の維持費に5500万円以上かかるといわれていました。もし機器に欠陥があったなら、本来、国は損害賠償を製作会社にしなければならないはずです。こんなことを許せば事故の起こし得といわれても仕方がない。

この事故は大々的に報道されなかったため、全国的にはほとんど知られていません。日本は民主主義ですから、まさか政府が箝口令(かんこうれい)を敷いているということはないでしょう。また報道の自由があるのでNHKが報道を控えていることもないと思いますが、情報が入ってきません。事態はひどく深刻で自殺者も2名出しています。

ナトリウム漏洩事故のさいに動力炉・核燃料開発事業団（動燃、現・日本原子力研究開発機構）で調査を担当した職員と、中継装置落下事故で炉内中継装置を担当していた燃料環境課長が自殺しました。

どんなに原理的にはよいものでも、温度計さや管も怪しいし、引き上げ装置も怪しい。それが壊れて運転できなくなって熱が出力できず電気が発生しなくても国が税金で賄った。結局、原因を追究せず、責任の所在をあいまいにしたまま国が尻(しり)ぬぐいをするということに無理がある。

もんじゅはまだ規模が小さいからいいものの、フランスのフェニックスのように巨大なものが事故を起こせば、2000億円かかる。ですからフランスも廃炉を決めたわけです。

天才を生んだ20世紀という鷹揚な時代

思えば、オンネスが超電導を発見した20世紀が明けた頃というのは、科学技術にとって素晴らしい時代でした。

19世紀の中盤から、いよいよ本格的な近代科学が生まれます。電気が発見され、電磁気学ができ、材料では鉄鋼の誕生が重工業を支える。兵器では機関銃が量産され、それから化学分野でも染料化学を中心にドイツで急激に発展します。

科学者としても、20世紀前半にかけて、放射線の研究で1903年に女性初のノーベル物理学賞を受賞したキュリー夫人、同年に世界初の有人動力飛行に成功したライト兄弟、1905年に「特殊相対性理論」を発表したアインシュタインと、科学の素晴らしい進歩が次々と現れた頃です。

まさに時代のなせる業であり、逆にいうと現代のような不寛容な風潮が支配していれば、「時代の子」も生まれないということです。

天才というのは、われわれが考えているよりも脆(もろ)い存在であり、日常生活では変人が多い。女性問題や金遣い、アルコール依存など彼らは多くの弱点を抱えています。天才を伸ばすには、社会のほうが彼らの人間性を受け入れてあげる柔軟性が必要なのです。

学生を教えていると、機械や電気の学問で天井を突き抜けるように伸びていく青年がいます。いずれも一口にいえば「変人」です。日常的なこと、語学、情緒的なこと、コミュニケーション力、人間関係の力などと、機械や電気の理解力、想像力はかなり違うようです。

ところが現在の日本社会は個性を許さず、性別を許さず、誰もが同じ人生を送ること、または誰もがコミュニケーションや人間関係がうまいことを求めています。日本社会はスポーツや囲碁などに天才的能力を発揮する人に、英語やコミュニケーション、人間関係の力を求めないのに、なぜか学問だけは満遍なく力を持っていることを求めます。

また人は男女の前に「人」ですから、男性と女性を区別する必要もありません。同様に「電気に強い人」を無理矢理、「英語通訳の上手な人」にしなくてもよいと思います。この問題は教育のことですから、後でもう一度詳しく述べます。

人間というのはおもしろいもので、すべてに秀でるということはまず少ない。何かの天才は大きな弱点を持っている。ですから社会の鷹揚(おうよう)さが肝心なので、それがある時代は非常に優秀な科学者を生んでいきます。

超電導の節でオームの法則について触れましたが、実はこの法則を最初に発見したのは、イギリスのヘンリー・キャベンディッシュ（1731〜1810）という学者です。

この人は富裕な貴族だったため、気兼ねすることなく研究に打ち込むことができた。しかもキャベンディッシュが求めたのは純粋な科学の探究心だけであって、論文を発表して名誉を獲得しようとか、金儲けをしようなんて気持ちがまったくありません。

オームが論文で発表したため、現在では電気の法則はオームの法則になってます。ところが本当は「キャベンディッシュの法則」というべきものです。他にも、万有引力定数の測定や水素の発見をしています。

キャベンディッシュのように純粋で鷹揚な人物こそ科学者は手本にすべきです。

第6章

直ちに中止すべきざんねんな技術

13

科学的安全性が証明されない「遺伝子組み換え作物」

原理発見から実用化までのリミットは80年

超電導、核融合、高速増殖炉というのは、技術のレベルも難易度が非常に高くて、しかも同じような原因で頓挫しています。

これまでの科学の歴史から申し上げると、原理発見から実用化までのタイムリミットは50年からせいぜい80年という原則があります。

もうひとつは、ただでさえ難易度が高い技術の場合、ここに学者の出世欲や政治的な要請、つまりお金の問題が加わると、それだけで科学は頓挫してしまう、ということです。

そうした問題で、ざんねんな技術の典型が「遺伝子組み換え作物」です。

遺伝子組み換えという技術自体は難しいものではなく、周知のようにすでに商品化されています。

1953年にイギリスのジェームズ・ワトソンとフランシス・クリックというふたりの科学者が二重らせんという「DNAの構造」を明らかにして以来、人間は「生命（いのち）」というものを、少なくとも自然科学的にはすっかり理解することができるようになりました。生物は主としてDNAの情報で体をつくり、行動パターンを決めているのです。

そしてDNAの発見の成果として早速、実用化されたもののひとつが遺伝子組み換え作物です。すでに臓器移植のために人工的な臓器の合成、遺伝子治療なども始まっているので、近い将来には「害虫にやられないイネ」「除草剤のいらない野菜」などすぐ利用できる生物や、さらに「観賞用の新しい生物」や「マラソンを一時間で走る選手」「自分の性格の改善」などへと応用されていくでしょう。

確かに除草剤も殺虫剤も環境を痛めるので、遺伝子組み換えによって虫も付かない新しい作物ができたら合理的です。さらに冬に植えるトマトや秋のフキノトウなどがあれば、季節に関係なくいつでも食べたいものが食べられるようになるでしょう。

また放射線処理をしたジャガイモに抵抗のある人なら、腐りにくい遺伝子組み換え作物を歓迎するはずです。

ちなみに「放射線処理ジャガイモ」というのは、毒性の強いジャガイモの芽を出さないために放射線で処理されたものです。その「放射線」という言葉を「放射線汚染」と勘違いして抵抗を示す人も少なくないからです。実際、放射線処理はむしろ処理をしない通常のジャガイモより安全なくらいで、人体への影響は心配しなくていいものですが。

遺伝子と人体の関係はいまだに未知数

それはともかく遺伝子組み換え作物により、人類は食糧危機から逃れ、餓死する人を救い、さらに地球上で現在の60億人の10倍もの人間が生活することを可能にするかもしれません。「この地球上を人間だけの世界にすることも夢ではない」と、遺伝子組み換え作物の推進派はいいます。

確かに人類が狩猟から農耕生活に移って以来、不作に泣いたり、害虫や病気に苦しめられた歴史がありました。推進派の意見は論理的に正しく、しかも人類の食糧危機を救うとなれば、遺伝子組み換え食品を認めたくなる気がするのも当然でしょう。

今のところ「遺伝子組み換え作物を食べても何も起こらず、健康も損なわない」ことがわかっています。しかしだからといって遺伝子組み換え作物が科学的に「安全」とは、実はまだ言い切れない段階なのです。

日本で輸入が許可されている遺伝子組み換え作物8種

	作物	特徴
流通している	大豆	• 特定の除草剤で枯れない • 特定の成分を多く含む
	とうもろこし	• 特定の除草剤で枯れない • 害虫に強い
	なたね	• 特定の除草剤で枯れない
	綿	• 特定の除草剤で枯れない • 害虫に強い
ほぼ流通していない	じゃがいも	• 害虫に強い • ウィルス病に強い
	てんさい	• 特定の除草剤で枯れない
	パパイヤ	• ウィルス病に強い
	アルファルファ	• 特定の除草剤で枯れない

なぜでしょうか。

遺伝子組み換えというのは遺伝子のある一部のものを入れ替えるわけです。ただし入れ替えたあとの遺伝子の作用がわかっていなければならない。もちろん遺伝子そのものは――4つの塩基であるアデニン（A）、チミン（T）、グアニン（G）、シトシン（C）がどう組み合わさって、どういう性能が発揮されているのか――というところまでは詳（つまび）らかにされています。ただし実際われわれの肉体や性格と、遺伝子がどういうふうにリンクしているのか。このことがわかってないと解明したことになりません。

遺伝子がどう構成されたら髪の毛が黒いとか、性格が荒いとか、そのつながりの解明はまだ5%しかされていないといいます。いや10%だという研究者もいますが、せいぜいその程度で残りはほとんどわかっていない。

もちろん推察はある程度可能です。もともと遺伝子というのは、アメーバのような単細胞生物にも存在しているわけです。

一説にクロレラやイカダモ、アオサやマリモといった緑藻類の遺伝子が人間にも入っている。つまり動物と植物という別系統にも遺伝子のつながりがあるという説と、系統以前のつながりは捨てられるという説があり、どっちが正しいのかいまだにはっきりしていません。

それから人間と猿の遺伝子のように99・97%も一緒なのに、なぜ実際の人間と猿とではこんなに差があるのか。まだよくわかっていないのです。

繰り返しますが、われわれは遺伝子の構造はわかっているし、解剖学や心理学、生理学に病理学もわかっているけれども、そのつながりが判明していない。つまり、ある食品の遺伝子の一部を換えたことが人間のどこにどう影響するかは、本当にはわかっていないのです。

それが一番大きな問題です。

本来述べてきたことに対し、遺伝子組み換えをする研究者はもっと真摯に真面目に取り組まなければならない。それなのに遺伝子組み換えに成功するとお金が動くため、おざなりにしている。ですから、安全性よりも商品化に流されてしまうのです。

科学的「安全性」という3つの高いハードル

もうひとつ、科学的に安全性を証明するには3つのハードルを越える必要があります。ところが、それがクリアされていません。こんなことは科学者の常識なのに、困ったことにいい加減な学者が多い。

3つの段階とは、たとえば虫に食われにくい遺伝子組み換え大豆ができたとします。その大豆を豚に食わせて障害が出ないことを確認し、次に人間に食べさせる。まったく障害が出ないとしても、豚や人間に食べさせたデータを10年とって、病気などが発症しなければ第1段階をクリアしたことになります。

しかし次の段階が難しい。前述した遺伝子の原理研究で、遺伝子組み換えが与える影響の有無を判明させることが第2段階です。

なぜ原理研究が重要かといえば、動物実験で10年間問題が出なかったとしても、11年後には何かが明らかになるかもしれません。また、その子供には影響が出てこなくても、隔世遺伝で孫にあらわれる可能性もあります。

ですから第2の原理研究が必要なのです。しかし科学的に安全だというためには、さらに第3段階があるのです。

ボランティアで人を集めて１００人ずつのふたつのグループに分ける。

一方のグループには遺伝子組み換え大豆を10年間食べさせる。もう一方のグループには天然の大豆を食べさせる。そのうえで疾病率や成長とか顔の形、頭の発達まで同じであることの証明をしなければいけない。

このような厳しい3つの条件をクリアして初めて食品や薬品の安全性が科学的に証明されるのです。

どうしてここまでしなければならないかと思うかもしれません。人体はそれだけ複雑だということです。ほんのちょっと環境が変わっただけで喘息（ぜんそく）になったり、何かのアレルギーが出たりする。哲学的な話にもかかわりますが、人間の肉体と魂の間の関係もわからないことはいっぱいある。そういう前提があるからこそ、全世界の人たちに遺伝子組み換え作物を安全に食べてもらうためには、この3つの条件をクリアする必要があるのです。

これは一流の学者ならみんな知っていることです。私は実際に遺伝子組み換え作物の論文を読んでみたところ、大半は第1段階すらやっていないのが現状なのです。推察を入れて大丈夫だと踏んでいて、見切り発車というほかはありません。

おそらく放射線被曝(ひばく)に対する影響というのは、この3つの安全性テストが済んでいないのでしょう。だから被曝に関しては、どういう結果が出るかいまだにわからないのです。

したがって遺伝子組み換え作物を甘く考えてはいけないと、いわざるをえません。

なぜ私は遺伝子組み換え作物に反対するのか

仮に科学的安全性が証明されたとしても私は遺伝子組み換え作物を使うのは反対です。その理由は「何で、そこまでするの?」と思うからです。ここまでの話からは、やや論理が飛躍しており、かつ哲学的なものになります。食や環境についての私の考え方を述べたいと思いますのでお許しください。

水銀中毒で世界的に事件になった水俣病は、なぜ起こったのでしょうか? 水俣病を起こした企業は新日本窒素肥料(現・チッソ)です。決して悪辣(あくらつ)な確信犯などではなく、単純に水銀を海に流すと病気が起こることを知らなかったのです。

現に最初の患者さんが出た１９５６年当初は、病院も「脳の障害」と診断しました。熊本大学医学部の水俣病研究班が水俣工場の排水中に含まれるメチル水銀が魚貝の体内に入り、これを多食した者が発病することを突き止めたのが１９６３年。政府が公害病と認定したのは１９６８年まで待たねばなりませんでした。

つまり、水俣病の「水銀中毒」のような簡単なものでも「まさか⁉」ということが起こったのです。

それはその後の事件、たとえば１９６８年のライスオイルのＰＣＢ（ポリ塩化ビフェニル）が原因で起きた公害事件などでも似た経過をたどりました。事件が起こると社会は企業や技術者を糾弾します。いずれの事件も本人たちが犯罪を犯そうとして起こったことではなく、安全だと思ってやっていたのです。単に人間は「わからないものはわからない」ということを示した事件なのです。

私たち科学者は謙虚でなければなりません。「私たちにはわからないことがある。安全だと思っても危険なことがある。歴史がそれを示している」と。

遺伝子組み換え作物など必要ない

このような歴史的な教訓から、私たちが新しいことをするときには、ふたつの条件が必要と思います。

（1）どうしても新しいことをする必要があるのか
（2）十分な安全性が確認されていること

遺伝子組み換え作物について、まず必要性から考えてみましょう。現代の日本は食糧があり余っていて、約3割を食べきれずに残しているといいます。3割も余っているのに、遺伝子操作で、さらに大量の作物をつくる必要などない。むしろ、食糧をなるべく捨てないようにすることを考えるべきです。だから遺伝子組み換え作物を使う理由は、少なくとも日本にはありません。

また世界ではどうでしょうか？　世界の人口は現在80億人を突破し、やがて「食糧の供給の限界」といわれる180億人程度になると予想されています。

もし遺伝子組み換え作物が出現して食糧供給が増えると、人間の数は際限なく増え続けるでしょう。そして地上には人間の食べ物になる生物以外はすべていなくなり、ただ人間だけが生活している星になるでしょう。

はたして私たちはそういう地球を望んでいるでしょうか？　私はそのような環境は望んでないし、私の周りの人たちもあまり人間の数が増えることに賛成していないようです。

第二の条件はどうでしょうか？

私は科学を長く学んでいますが、自分がよく間違えることを知っています。それまでの学問の知識で正しいと思ったことでも事実で簡単に覆されるのです。

「科学の著作ほどつまらない物はない。30年もたったら間違いだらけの本として価値を失う」と言ったのは、19世紀ドイツの大科学者ヘルマン・フォン・ヘルムホルツで至言です。だから「遺伝子組み換え作物は本当に安全か？」と聞かれたら、私は「わからない」と答えます。

人間という生物が生きていくうちには、さまざまな制限があります。目の前にある「具体的な課題」だけを取り上げて、それが善いか悪いかということに集中して判断すると、時に間違えます。現在の環境問題の原因となっているのは、まさにそのような判断からきています。

具体的なものの善し悪し、善悪は確かに大切です。でも大きな枠組みにも目を向ける必要があることを環境問題は教えているのです。

人間が他の生物に比べて飛び抜けて頭が良く、兵器も自由自在につくることができる現在、人間は生物をどこまでも追いつめることができる存在です。でも「追いつめることができる」ことと「追いつめてよい」ことは、まったく違う。また人間だけで考えれば正しいことも、生物全体では間違っていることも多々あるのです。

遺伝子組み換え作物は放射線殺菌や食品添加物とは違い、人間が生物を積極的にコントロールし、さらに人間が特別の存在になる第一歩になると私は思います。そしてそれほどの食糧は不要です。私が遺伝子組み換え作物に反対するゆえんです。

14

東京の夏の暑さは「地球温暖化」とは関係ない

温暖化のメカニズム

次に取り上げたい問題は「地球温暖化」です。温暖化がなぜ起きるかというと、人間が石油や天然ガスなどの化石燃料を焚(た)くことによって出る二酸化炭素（CO_2）が大気中に増えると、一旦地上で反射し、本来は宇宙に出て行くはずの太陽の光の熱（赤外線）をCO_2が吸収するため、地球が温暖化するからです。

私のことを「CO_2で地球は温暖化しないと主張している」と誤解している人がいますが、この理屈自体は学問上正しい見解で否定しません。

しかし、地上から出て行こうとする赤外線を吸収するものはCO_2に限りません。たとえば空気中にある水蒸気、メタン、フロンなどが同じ性質を持っており、それらを含めて「温室効果ガス」と総称されています。

したがって温室効果ガスが増えれば、温暖化するはずです。ところが実際は温暖化しないのです。なぜかというと地上が温暖化してCO_2が増えると、植物のCO_2の摂取量も上がり、海水が蒸発するときに蒸発熱を取られるので相殺されるからです。

それ以上にCO_2量が増大したとしても、多くは海に溶けます。反対に大気中のCO_2が減少すれば、海に溶けたCO_2が出てくるというメカニズムもあるのです。

要するに物事はそれほど複雑なので、CO_2がただ増えたことをもって地球がどのぐらい温暖化するかは、わかりません。

CO_2が増えて困るのは人間だけ

事実、地球が誕生したときには、大気中のCO_2は95%もありました。それは金星も火星も同じなのに地球には「水」があったので、水とCO_2を原料として生物が誕生しました。だから生物の体は炭素でできているし、炭素を活動のエネルギーとしてきたのです。でも、生物が誕生してからすでに38億年。CO_2は徐々に消費されて、今や0・04%にまで減ってしまったのです。

報道では、300年前には0・03%だったのに対し、0・01%も増えたと騒いでいます。

もともとは95%だったことを考えると、ずいぶん低いレベルの話だということがわかるでしょう。

地球に生物が誕生したのは38億年前で、6億年前には多細胞生物が出現していますので、それからもCO_2は少しずつ減少してきた。そして地球は徐々に寒くなり、現在は第三氷河時代——地質学的にいえば第二と呼ばれることもあり、また氷期と氷河期の違いもある——にあたる。

温暖化という割には、現在の気温は多くの動物や植物にとっては寒すぎるので、主にアフリカ、アマゾン、インドネシアなど赤道直下にかたまって生活しているのが実状です。反対から見れば、地球のほとんどの地帯は、温帯（日本など）から亜寒帯（ヨーロッパなど）で、人間しか住むことができない環境だということです。住宅を持ち、暖房することができるのは人間しかいません。

地球の温暖化を心配しているのは人間にとってだけのことで、ほかの多くの生物は実はCO_2が少なすぎて苦しんでいるのです。

たとえば日本人の主食である「お米」は、イネが空気中からCO_2を吸い、そこから炭素を得て米粒をつくります。

当然CO_2が少なくなれば、成長は難しくなる。ですからCO_2を増やすことができれば、それだけで食料生産は格段と上がり、食料問題は解決します（遺伝子組み換え作物など必要がないわけです）。

ようするにCO_2は単に減らせばよいというものではなく、本来は増えたほうが食料増産、気温安定にはよいのです。

東京が那覇より暑くなった理由

ただ、こういうと次のような反論の声が聞こえてきそうです。「でも実際に、自分が子供の頃に比べると気温が上昇しているのではないか」と。

そのとおりだと申し上げたい。

ただし問題は、「地球温暖化」ではなく、現実に日本にあらわれている日本の温暖化の問題です。

たとえば昨年2023年はとても暑い年でした。特に夏はものすごくて皆さんも苦しんだと思います。実は一番暑かった8月に、全国の県庁所在地のなかで最高気温が一番低かったのが沖縄の那覇（なは）です。

最高気温を低い順に並べると、1位が那覇で、2位が高知、3位が鹿児島です。いずれも日本列島のなかでも暖かいとされる赤道付近の県庁所在地で、東京よりも緯度が低い。

このことからわかるのは、現在の「温暖化」というのは地球全体のことではなくて、部分的に温暖化している点です。

以前であれば、那覇のほうがずいぶん緯度が低く赤道に近いので、那覇が32度、東京が28～29度というのが通常でした。

北緯30度線に近く、バナナが育つ台湾に近い「沖縄は暑い」というのは常識です。

また緯度でいうと高知市とロサンゼルスはだいたい同じなのに、夏場の気温を比較すると、高知が33度の最高気温をつけた同日にロサンゼルスの最高気温は23度と、10度も差がある。こういうことからも、温暖化が部分的であることが理解できるのです。

ではなぜ暑くなっている地域があるかというと、ふたつ理由があります。

ひとつは都市計画の失敗、ふたつ目は海流による影響です。ようするに地球というのはどのような仕組みでできているかの判断が間違っているのです。

第一に都市計画ですが、夏真っ盛りのときに都市の気温と山の気温とでは9度違うといわれています。木や草が水をやらないと枯れるのは、吸い上げた水を貯水場のように蓄えているのではなく、葉っぱから水分をどんどん蒸発させる。これを「蒸散」といって、できないと樹木は枯れてしまう。蒸散によって気化熱を放出するため、森のなかは涼しくなるのです。

ところが上空から撮影した東京の写真を見ればわかるように、道路とビルのコンクリートで真っ白。これでは気温が上昇するのも当然です。水分の蒸発量がぜんぜん違う。

ですから温暖化を防ぐには、舗装道路は透水性コンクリートにして、歩道もある程度は草木が生えるようにし、部分的でも緑地をつくれば改善できます。

もっとも今の都知事では計算もできないでしょうし、決断をする気概もないでしょうが。

ただでさえ都市化で暑くなっているのに太陽光発電が拍車をかけています。だからこれは都市計画の失敗であって、温暖化とは関係がないというのが理由のひとつです。

CO_2を増やし気温を上昇させないふたつの解決法

ところで今よりCO_2が20倍も多かった恐竜時代に、なぜ気温が上がらなかったのでしょうか？　温暖化どころか寒冷化で恐竜は滅んだわけで、その主な理由は海の水にあります。

地球上で陸地の面積は3分の1にすぎず、3分の2は水です。しかも海には4000メートルの深さがある。この海水の水温が気温に大きな影響を与えている、というのが第二の理由です。

したがって海水の水温に変化を与えれば、都市の温暖化を防ぐことができるわけです。それもCO_2が増えて、気温が上がらないというもっとも好ましい状況を技術的に達成できる方法があるのです。

もしこのままCO_2を減らしていけば、やがて生物は食料とエネルギー源を失い、すべて絶滅するでしょう。「持続性」どころではありません。

すぐできる技術的方法はふたつ。

①太平洋側に石炭火力発電所をつくり、その排ガスを太平洋に吹き込む

②沖縄の東方、日本のEEZ（排他的経済水域）内に海洋筏（いかだ）を並べ、黒潮を攪拌（かくはん）して水温を下げる

①はすでに琉球大学でかなり研究が進んでいます。

石炭は植物の死骸（しがい）であり、若干の処理はいるものの、もともと焚（た）き火の煙なので生物に対して大きな毒性はありません。

「山が茂れば海は豊かになる」といわれるように、特に植物の残骸は動物にとってむしろ好ましい。ですから石炭火力を太平洋側に並べれば、電力費は安くなり、原料の供給（石炭は多くの国で採れ、しかも枯渇まで1万年以上ある）も確実です。

さらには日本列島の東の中緯度太平洋はCO_2の溶解度が低く（世界でもっとも低い）、吸収能力は十分にあります。

このシステムがうまくいけば、日本近海の海のCO_2が増えるので、漁獲量は電気の生産量と比例して増大するでしょう。これが「技術的思考」というものです。

もうひとつの方法を説明すると、日本列島は南北に長く、日本が暖かいのは赤道から流れてくる黒潮によります。つまり、日本列島の気温は、ほとんどこの黒潮の水温で決まるのです。そこで沖縄の東の海に「攪拌筏」を並べることにより水温を下げるのです。

誰もが経験で知っているように、表面が熱くて指も入らないようなお風呂でも、少し指を突っ込んでかき回すと、すぐに下の冷たい水が混じって悠々と手を入れられるようになります。風呂を沸かすエネルギーはとても大きいものの、指で混ぜる力はわずかで小さい。

この現象を海に応用すればいいのです。海は海面数十センチだけが暖かく、人間が浮いている場合、腰の下辺りからは凍るように冷たいことがままあります。だから海水面に筏を並べて、わずかなエネルギーで海水を攪拌すれば、たちまち海水面の水温は下がります。それが黒潮に乗って日本の海岸を通るので、気温は数度下がるでしょう。

以上のふたつの方法は「日本ならでは」のものです。ヨーロッパなどは東にアジア大陸があるので不可能ですが、日本は容易にできます。

ただ環境省や国立環境研究所は、日本だけができる温暖化対策にまったく関心がありません。日本人の税金を使っているのだから、少しは日本特有の技術的方法を研究してもらいたいものです。

いずれにしてもここで強調したいのは、技術は前向きなものであり、かつ環境はその土地ごとに違うので、日本人の思考を転換する必要があるということです。

15

「EV先進国」の大混乱を他山の石とせよ

世界最初の自動車は電気自動車だった

今からおよそ220年前、1804年イギリスの機械技術者トレヴィシックが初めての蒸気機関車をつくりました。それに続いてイギリスのスチーブンソンがダーリントンとストックトンの間に軌道を敷き、その上を走らせたのが1825年。それからほぼ60年経ってドイツのダイムラーが内燃機関（エンジン）を搭載した自動車をつくりました。

一般的にはガソリン自動車が自動車の最初のものと思われています。ところが実は一番早くできたのは今でいうEV、つまり電気自動車です。その次が蒸気自動車なので、普及したガソリン自動車は3番目に開発されたものだったのです。

当時の社会にとっては、汽車として実績のある蒸気自動車のほうが馴染みがあったでしょう。ですからもし今のように政治主導で普及させるような政策をとっていたら、自動車は積んだ水を蒸気にして走るものが主流になっていたかもしれない。また効率が悪いという理由で自動車自体あまり普及しなかったかもしれません。

ガソリンという燃料を爆発させる原理の自動車の開発に政治が口を出さなかったからこそ、技術競争でガソリン自動車が勝ちました。その後、フォードがT型フォードという画期的な乗用車を大量生産するようになって、現在に至っているのです。

EV先進国ノルウェーの教訓

しかし現在では、政治家や環境運動家が主導して「電気自動車こそが将来の車」と推進したはいいが、EV普及率世界一位のノルウェーが2023年に大混乱を招くことになりました。

ノルウェーといえば「漁業国」との印象を持たれる人も多いでしょう。

かつて同国の輸出の大半はサーモンなどの北の海の魚。鯨漁なども日本と競っていました。しかし60年代に北海油田が発見され、80年代に入ると石油産出国となって、今ではGDPの約10%、輸出の66%を占めるようになった。

ノルウェーという国はあまりに寒く、国土も南北に細長い。そのため、生活観にしても思想にしても独特なものを持っています。特に衛生や環境に敏感で、世界で初めて禁煙運動を始めたのはナチスのヒトラーですが、今の「禁煙」ブームを世界中に広めたのはノルウェーの首相がWHOの幹部になってからのことです。この首相は携帯電話の禁止も強く働きかけています。

そのようなノルウェーが「脱炭素」と銘打ったEVに飛びつくのは、ある種必然かもしれません。23年春にはノルウェーを走る自動車の90%以上がEVとなり、「E-GOLF」という名前のドイツのフォルクスワーゲン社の車を中心として次世代社会、環境先進国を喧伝(けんでん)していたわけです。

これは私が確信していることですが、どんなに隠蔽(いんぺい)しようと、技術の世界では非合理的なものが主力になることはありません。

その後、EVの持つ本質的な欠陥が次々と露呈しました。

まず充電時間の長さ、1回の充電で走れる距離が短いことは最初から指摘されていました。それに加えてノルウェーのような寒い国では、機器類の暖気運転、バッテリーの可動温度、室内の暖房など問題が続出しています。さらにはバッテリーを積んでいる分、車重が重いことからくる道路の痛み、それを補修するための道路予算の増大など多種多様な問題が起こりました。現在、ほぼ「破綻した」状態に陥っています。

政治が関与して税金などで技術の欠陥をカバーしようとすることが大間違いです。技術はそんな甘いものではなく、コストにしろ、社会の受け入れ態勢にしても安全性にしても、技術そのものに聞いてみなければいけないのです。このことは過去の「新技術の屍」を勉強すれば、すぐわかります。

ノルウェーでは、ディーゼルエンジン駆動のゴルフが2万2000ドルだったのに対し、EVのゴルフが3万2000ドルなので、EVのほうが1万ドル高かった。そこでノルウェー政府は購入時に消費者が払う代金を安くしようとして、ディーゼルのゴルフに1万2000ドルの自動車関係税をかけ、EVのほうは税金をすべて免除したのです。当然、消費者は「安い」EVを購入しました。

マンガのような話です。道路の補修整備などに使用する「自動車関係税」をゼロにしてまでEVを普及させれば、財源が足りなくなります。道路の補修も標識などの安全設備も疎(おろそ)かになりました。これは火を見るより明らかなことです。

またEVスタンドでは、充電に時間がかかることから客の不満が絶えません。そこで政府は、スタンド経営者にコーヒーのサービスをするように指導しなければならない事態に陥ります。

しかもより滑稽（こっけい）なのは、ＥＶは寒さに弱いという事実です。北欧という寒冷地に位置する土地柄を考慮したのか、はなはだ疑問です。こうなると発進前にバッテリーを駆動させて暖気運転をしなければならなかったり、バッテリーの性能を保つためにバッテリーを使わなければならなかったり。

結局、「温暖化を防止」するはずのＥＶが証明したのは「気候が温暖化しないとＥＶは動かない」という馬鹿げた結論だったのです。

非効率なEV

困り果てた政治家は、ＥＶ普及のために導入されたあらゆる免除制度を見直しているといいます。加えて高級ＥＶに対する「付加価値税」の増額、ＧＰＳを使ってＥＶの走行距離を割り出し、その場所と使用目的にもとづいて現在のガソリン税と同等の関税を課すなどの案があるようです。

結果的に、ＥＶの代わりにガソリン車のトヨタがガンガン売れている始末。

ノルウェーには自動車産業がないことを念頭に、次のステートメント（声明書）を読むと面白いことが判明します。

「ノルウェーは輸出の過半を石油に頼っていて、そのお金でＥＶを買っている。ということはノルウェーは他国でCO_2を出し、国内でCO_2を削減するというズルをしている」

これだけでＥＶの本質がわかろうものです。

純技術的には見れば、少なくとも現時点でＥＶは社会に受け入れられる合理性がないのです。

「無理を通せば道理ひっこむ」の典型例であります。技術がわからず論理性もない政治家の出現がもたらした大損害といわざるを得ません。

なぜなら、エネルギー（石油）を動力（電気）に変える熱効率は、平均して30％ぐらいだからです。

ガソリン車の場合、エンジンで燃料を燃焼させて動力を得ます。このとき燃料の持つエネルギーのうち、約70％は熱として失われるのです。ただし、この熱は排気ガスとして放出され、車を暖めるために利用することができます。

一方、ＥＶの場合、発電所で電気をつくり、その電力でモーターを回して動力を得る。ということは、発電所で燃料を燃焼させてつくられた電気も同様に約70％の熱が失われます。しかもEVでは、モーターを回すために電力が必要となり、熱が発生します。つまりEVの場合、ガソリン車と比べて、発電所とEVの間で2回熱が失われることになるのです。このためEVがガソリン車よりも高効率であるとはいえません。

この関係がわかってない解説者などが設備や輸送を考えずに「EVが高効率である」といっていますが、大間違い。

現代の世界の停滞、日本の停滞は、このような簡単な原理も議論されずに社会が誘導されていることにあります。これで発展するはずはないのです。

16

「リサイクル」は矛盾ばかり

環境に優しくないペットボトルのリサイクル

日本でリサイクルが問題にされるようになったのは、「リサイクルしないとゴミ箱が満杯になる」と脅されたことに端を発します。

日本は物質の生産量が約20億トン、そのうち、どんなに頑張ってもリサイクルできる量は5億トン。産業以外では家庭を経由するゴミは5000万トンぐらいしかないので、最大限見積もって40分の1、現実にはその100分の1しかリサイクルできていないのです。家庭の主婦が一所懸命やっても、リサイクルは実にゴミ総量の4000分の1にしかなりません。

数字は他にもあります。

ペットボトルを製造して消費者の手元に届くまでの石油の使用量を1・0とします。一方、ボトルをリサイクルしてもう1度使用するときに消費される石油は約3・7になります。

つまり新しいペットボトルを使えば石油は1・0で済むのに、リサイクルペットボトルを使用すると、3・7倍の石油を使用することになる。この例のように、本来資源を有効に使用し、環境汚染を防止するためにおこなうリサイクルが、反対に「リサイクルをすればするほど資源を使い、環境を汚す」。このことをリサイクルの「増幅矛盾」と呼び、新品に対して環境を汚す倍数を「リサイクル増幅指数」といいます。

ペットボトルのリサイクルには、このような単純で決定的な矛盾が含まれているのです。

循環型社会の虚妄

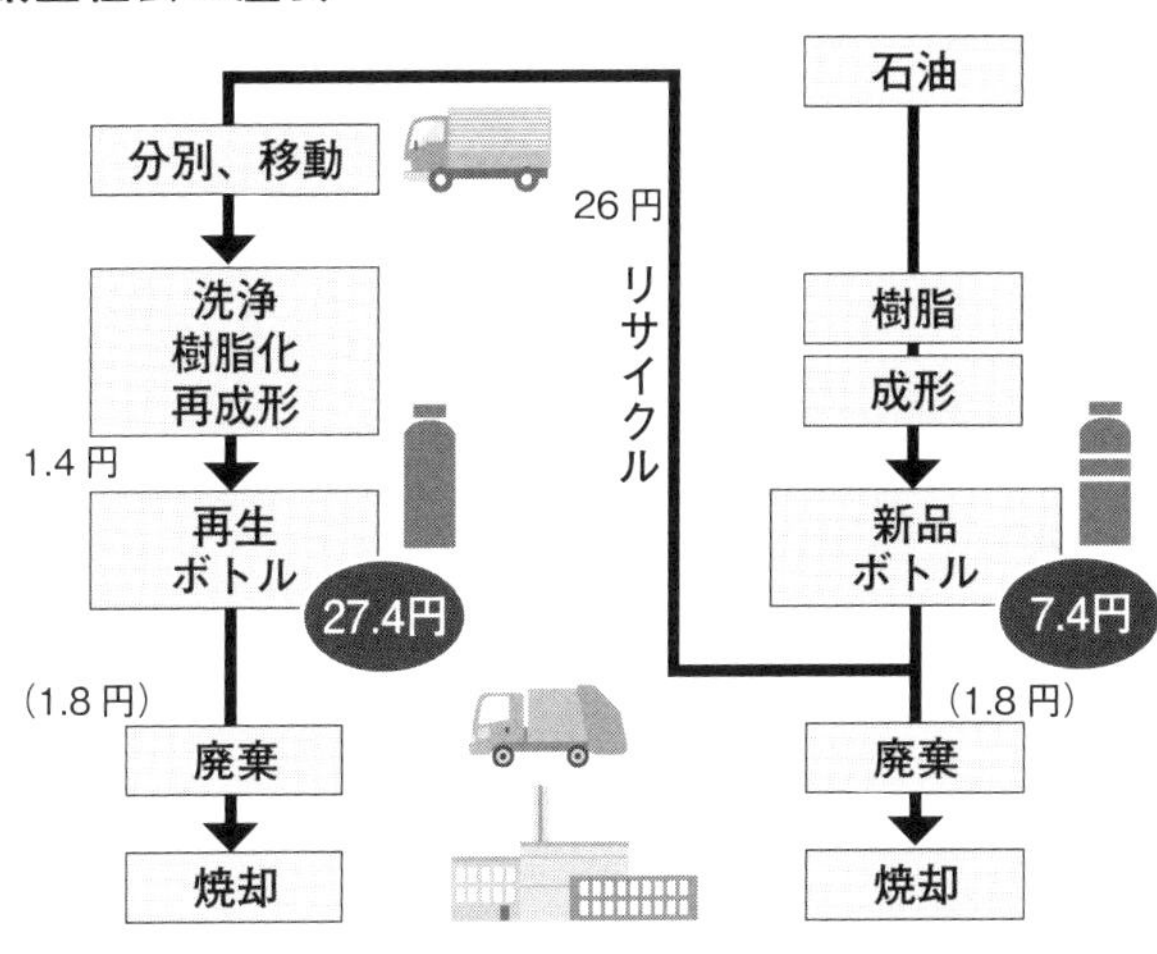

しかしそのような数字はわからないまま、目の前の台所のゴミが一日で袋一杯になったことをもって「これは大変だ」と、ゴミの分別が定着するようになりました。

数字がわかれば、「リサイクルしなければ廃棄物貯蔵所が満杯になる」などの報道がウソだということが見抜けます。現実は、リサイクルのせいでペットボトルの廃棄物貯蔵所は急増しました。しかも自治体は焼却炉をつくる必要がなくなった分、仕事が楽になったのに、それを口実に税金を上げることができました。

日本国有鉄道・日本専売公社・日本電信電話公社の三公社と、郵政・造幣・印刷・国有林野・アルコール専売の五事業の民営化――

「臨調（臨時行政調査会）」を主導した土光敏夫さんの奥さんのように、「家庭では節約、社会は発展」と、家庭の考え方を社会にそのまま適応できないことを戒めていた人もいます。しかし多くの家庭婦人がリサイクルや分別をして、環境を汚し、税金を上げたことに貢献したのです。

今では考えられないことですが、リサイクルは当初「資源を多く使う」という正しい考えが支配的でした。ペットボトルがこれ以上増えたら廃棄物貯蔵所の寿命が短くなって、新しい廃棄物貯蔵所をつくるお金がかかるからです。

ところが、社会の裏にふたつの動きがあったのです。ひとつが「ペットボトルをもっと売りたいという産業の思惑」。もうひとつが「棚段式の焼却炉は効率が悪いが、既得権益があるので守りたい」という動きです。しかし産業からすれば、このふたつの動きは倫理に悖る（もと）というほどのものではありませんでした。

それはエアコンのメーカーが「エアコンで生活するのは問題だ。自然の風で生活するべきだ」としてエアコンの生産を止めてしまうようなもので、行き過ぎです。

自由な社会というのは、「自然のなかで生きる」ということを目指した産業もあれば、エアコンの性能を良くして快適に過ごしてもらうという産業もあっていい。国民に選択肢のあることが重要なのです。

ペットボトルの普及はどこでも飲料を飲めるようにしたたし、「お茶くみ」をしなければならない女性従業員を楽にしたというメリットもありました。だから、「廃棄物貯蔵所の寿命が短くなるからお金がいる」と、「ペットボトルを自由に使って快適な生活をする」というのでは、どちらがよいか一概にはわかりません。

「リサイクル」を推進した朝日新聞の大罪

ところが、ここに登場したのが朝日新聞です。朝日新聞は自らの販売部数を増やすために、女性をターゲットにして「脅し商法」に踏み切ったのです。

ある日を境に朝日新聞が「リサイクル反対」から「賛成」に変わり、キャンペーンを打ち始めたのです。それをきっかけにＮＨＫや他のテレビ局が追従、半年ほどで日本社会はそれまでとまったく逆の方向に走り始めました。

社会への女性の進出と脅し商法は「ゴミ問題」から顕著になったのです。その結果、何が起こったかといえば、リサイクルで特定の焼却炉メーカーが巨利を得たこと、ペットボトルなどの消費量が飛躍的に拡大したこと。それまで地道にやっていた「ちり紙交換」の業者が一網打尽に排除されて廃業し、お役所に取り入った特定業者だけが紙のリサイクルでぼろ儲けをする、ということでした。

また紙のリサイクルでは日本の森林の利用率が落ち、山は荒れ放題になる一方で輸入先である他国の森林を傷める結果を招いたのです。でも朝日新聞を中心としたマスコミの「良い子報道」によって、リサイクルがもたらした負の状況はまったく報道されませんでした。こうして分別の苦労、ゴミ収集の頻度の低下、地方税の増税（もしくは減税できない体質）、役所と特定業者との癒着、日本のゴミを開発途上国に出して国際的な顰蹙を買う――など、「冷たい日本」をつくっていきました。

隣の家から出たゴミを隣組の監視員が開いて、他人の私生活をのぞき見ることが正当化されるような監視社会を生んだのではなかったでしょうか。

よく中国社会の癒着について悪口などをいう人がいます。ひるがえって日本のリサイクルほど一般国民に負担を強い、税金を取り、特定業者が儲ける社会悪が「道徳」の名の下におこなわれているのは驚きです。

第一に、リサイクルにより「繰り返し使えるようになった」のに、「捨てていた時代」より多くの税金がかかること自体が考えれば奇妙なのです。

第二に、主として東京に住んでいる都市生活者、ある意味での特権階級の人は自分たちの生活を悪くしてまで「日本のため」とか「未来のため」に何かを考えません。特権階級にいること自体が「現在の体制を維持したほうがいい」のであり、多くの改革は自分たちの生活を危うくするだけで得にならないからです。

朝日新聞、NHK、そして東京に住む特権階級＝知識人が組んで、日本では許されない空気をつくりだし、人々の行動を強制しているのです。まるで「お犬様の時代」に逆戻りしたような息苦しさを感じます。少し前までは自由にゴミを捨て、電気を使い、ドライブを楽しんでいたのに。

17

誰も食べたくない「コオロギ食」の怪

コオロギを食卓に出そうとしている勢力

普通の日本人が突如として給食にコオロギが出たというニュースを聞いたら、びっくりするでしょう。

誰もが海外旅行に行ける昨今だとしても、日本はおろか中国でもヨーロッパでも見たことのないようなものが食卓に出てくれば、びっくりするのは当然のことです。

いうまでもなく給食の食材というのは、その国で「食べる物」のなかから選ばれます。特に子供が食べる給食は、健康や成長に関わるので大人より注意しなければならないのに、いきなり黒いコオロギの佃煮（つくだに）を出すなど言語道断。事前に忌避すべきです。

日本には古来より食べてきた昆虫がいます。イナゴやハチのコです。これらが食料になるのには、それなりの理由（＝飢饉（ききん）時のたんぱく源の補給など）があるのです。

しかしコオロギは毒性が強く、微生物も共生しているので、日本では「食べてはいけないもの」に分類されていました。かつての飢饉でさえ食べなかったコオロギを、多くの人が知らないうちに不意打ち的に子供たちの給食に出すのは、犯罪的な行為といっても過言ではありません。

給食にコオロギを出した人は、何を考えているのか。

第一にやはり「お金」でしょう。

次世代の食料として「昆虫食」を推進する勢力があって、それに政治家が補助金をつけ

コオロギは食物として安全か（右はコオロギカレー）

る。他人の健康の心配をせず、食生活の原理原則も知らない人が商売と儲けだけを考えて、その流れに乗じたのでしょう。

第二の原因はお得意の「ヨーロッパかぶれ」です。地球温暖化や食料危機、ＳＤＧｓにしてもヨーロッパから発生したものです。この動きは、４００年近く有色人種の住む国を植民地にして搾取してきたヨーロッパ独自のものです。すでに彼らは、現代の世界で有色人種に対抗できなくなっています。その現実と恐れ、それを何とかしようとする焦燥感が、「環境問題」という幻を生んでいるのです。

少し前にスウェーデンの女子学生グレタさんが国連総会で温暖化の危機を訴えて日本のマスコミは大きく取り上げました。朝日新聞などは社説で「少女の涙がわからないのか」とまで書いたほどです。

彼女がスウェーデンの街角で環境の大切さを訴えるなら真実があるかもしれません。ところが国連総会という大舞台で一少女が演説をすることはあり得ない。当然、その背後に〝闇の勢力〟があると考えなければならないでしょう。

ここで「闇」と表現したのは、グレタさんが政治的背景も、選挙のような公正な手続きも踏んでいないからです。朝日新聞はそれをどう考えたのだろうか？

なぜ昆虫は食料に向かないのか

昆虫食はよいものなのか？　そもそも人間が昆虫を食べるということが、環境や食糧危機によいとはいえません。

ふたつ理由をあげます。

まず昆虫は体のなかに支える骨がなく、外骨格という体の外側の殻でもって体を支えている。ですから体を大きくするためには、それまでの殻を捨てて脱皮し、新しい殻をつくらなければなりません。そうした身体構造ゆえに体を大きくすることは、とても不効率なのです。犬や猫ほどの「大きな昆虫」がこの地球上にいないのは、そのためです。

ということは、食料として体積や重量が大切な動物である人間にとって、昆虫の基本的な構造自体が食料に不向きであるといえるでしょう。

次に昆虫の体の構造は種々雑多で、必ずしもその構造が一様ではないということです。コオロギのように体内に雑菌を多く抱えているものもあれば、シロアリのように外皮はシロアリの形状でも体内に胃も腸もなく、体内微生物が消化を受け持っているというものまであります。だいたい人間に対して、どういうものが短期毒性や長期毒性を持つかはまったくわかっていません。

人間に対する毒性、食習慣、栄養としての価値などはとても複雑です。単にたんぱく質、脂肪、炭水化物、ビタミン、ミネラルなどのように成分別に、微量成分も考慮しないで考えることはできない。たとえば最近、発達障害の子供が増えたということで、東大の産婦人科などで詳細な研究がおこなわれました。その原因は「母乳を飲まなかった」ことに原因がある可能性が出てきました。

これは当然で、人間が十月十日の妊娠期間を持ち、特定の離乳期間を必要とし、離乳まで母乳を飲むのは、それが「人間の頭脳と体」をつくるために必要な期間だからです。

それは動物によってまったく違い、同じ霊長類でも大きな差があります。特に人間の頭脳の生成過程は複雑で、人間以外の動物の乳では代用できないと考えるほうが自然です。

安易な置き換えは危険なのです。「やむをえず使う」ことと、「よいことである」ということとは必ずしも一致していないのです。

たんぱく源として人間が主として食べてきたものは、脊椎動物のうち魚類と哺乳類であって、両生類や爬虫類は積極的に食していません。まして昆虫を含む節足動物などの無脊椎動物が、人間に対して問題がないかはまったくわかっていない。それなのに十分な研究もしないで、節足動物を食料にしようとするのは、人間の自然に対する畏敬がまったくないことは確かでしょう。

人間の頭脳や思考は万全ではなく、また優れてもいません。人間の頭脳、特に大脳は「利己的」であり、「短絡的」で「非論理的」であります。それは奴隷や戦争を生んできたことでわかっています。だから現在のように何でもヨーロッパ、何でも利益で考える風潮を人間の基礎中の基礎である食料などに安易に展開することは傲慢です。かつ非常識であるという反省を持ってほしい。

18

東京都民は砧浄水場で処理されたトイレの排水を飲んでいる!?

砧浄水場を多摩川上流に移転せよ

最後に東京都民がいま飲んでいる水道について提案します。浄水場の移設なのですが、東京都民にとって本当に実施してほしい提案になるでしょう。

東京都の多摩川には砧(きぬた)浄水場があります。

大正14年に開設され、日本で古い浄水場のひとつです。そこに多摩川の水を引きまして、ろ過して殺菌して水道のパイプを通すかなり大がかりな工事をやった。

その頃は砧の浄水場の上流にはほとんど人家はありませんでした。トイレにしても大体汲(く)み取り式で水洗はない時代です。現在は多摩川の上流まで家が建っていて、大概のトイレが水洗であることはいうまでもないことです。

なぜこのようなことを申すかというと、砧浄水場のデータを見たら、砧浄水場の約半分が上流の家から流れたトイレの水であることが簡単な計算からわかりました。もちろん、トイレの水であろうと浄水場で沈澱(ちんでん)、濾過(ろか)、消毒したものなので飲めるものです。

ただ私は愛知県に住んでいたことがあり、飲んでいた木曽川(きそがわ)と比べると多摩川の水は臭くて飲めない。臭いというよりも変てこな感じがする。だから水道水を飲むときは必ず沸騰させて不純物を除いてから飲むか、ペットボトルを買ってくるしかない。

しかし、東京の水を美味(おい)しくするのは簡単に解決します。

話が飛びますが、ウクライナ戦争によりノルドストリームが爆破された事件が起きたりしてます。ノルドストリームとは、ロシアからヨーロッパに送る天然ガスのパイプライン網のことです。これが大々的に整備されて、大量の天然ガスを送っています。

ロシアからドイツやフランスの間ですから、大変な距離があるにもかかわらず天然ガスのガス料金は安くすんでいる。つまり、今はパイプの技術がものすごく進んでいるのです。

だから以前と違って砧に浄水場がある必要はない。浄水場は多摩川の上流に移設して、パイプラインで水を運べばいいだけです。上流ならもともとの水がきれいなので、ほとんど殺菌する必要がなくなるうえ、塩素の害も少なくなる。確かに生物はいますが、サイズが大きいぶん濾過するのはかんたん。それだけで味は上流のものと同じになります。

しかも多摩川上流から東京の都心までは高低差もあり、ポンプ動力の節約もできる。そうなれば浄水場の設備じたい小さくできるので絶対にやるべきです。

「日本は資源がない」は大ウソ

「日本は資源がない」といいますが、そんなことはありません。「石油、石炭、鉄鉱石」のような工業資源の一部だけを取り上げているからです。「太陽、海流、空気、水、石灰石、砂利、森林」などの資源を加えれば、日本は決して資源がない国ではない。

自然に恵まれた日本列島の降水量は、年間6500億立方メートル（㎥）。これは世界平均の約2倍、つまりかなりの水資源を持っているということになります。一度、地上に降った後、また蒸発するのが2300億㎥ですから、およそ4000億㎥が「使える水（淡水）」。

淡水の内訳は、農業・漁業に600億㎥、工業用水に150㎥、そして民間の水が150㎥で、およそ900億㎥が有効に使用されています。つまり4000億㎥ある淡水の利用率は、わずか22％程度にすぎない。

日本という国は、雨水として降ってきた淡水の8割近くをそのまま海に流している状況なのです。日本において「節水」とは、「水をムダに海に流すこと」を意味しています。だからこの考え方をまず変える必要がある。

いうまでもなく、人工的に淡水をつくるのは大変だからです。海からわざわざ塩水を汲んできて、それをボイラーで焚いて蒸留してつくらなければならない。人間がそんな手間暇をかけなくても自然がしてくれているのです。

太陽の光が太平洋を照射し、上がった雲が上空で冷えると、降った雨が山に溜まる。これこそまさに「太陽光の利用」です。

節水しているつもりが、反対に「水をつくり出した太陽のエネルギーをムダにしている」可能性があります。

100%利用することは無理だとしても、50%ぐらいは利用したいものです。そのためには「官がやっている水道事業を民に移して効率をよくして、水の使用料金を2分の1にする」ところから始めるのがよいでしょう。

水道局と民間企業のタッグが望ましい

話がややズレましたが、砧浄水場も自然の恩恵を享受すべく、上流に移転すればいいのです。水がきれいな分だけ浄水の手間が節約できて、水道代も安くすることができるでしょう。

私はこの案を東京都や愛知県の水道局に提案したことがあります。すると新たに取水所をつくったり、パイプを引く敷地を購入したりする資金のほかに、山の水資源を活用するための諸々(もろもろ)の調査が必要なため、難しいと断られました。行政システムとしての水道局ではちょっと荷が重いかもしれませんが、民間企業ならできることだと思います。

日本の電気料金がアメリカの2倍であることからもわかるように、官が独占してやると民がおこなう場合の2倍は経費がかかります。「民がやると衛生が心配だ」という人もいるでしょうが、食品でもなんでも民がやっても規制がしっかりしていれば衛生的な問題はありません。むしろすでにペットボトルなどすべて民がやっているのですから、水道も同じです。

ただし、宮城県みたいに外国の企業にやらせるのは論外です。宮城県ではコスト削減のもと上下水道、工業用水の9つの事業を一括して外資系企業に委託するコンセッションが2022年4月から始まっていますが、どうか。

つまり、これは安全保障上の問題でもあります。経済合理性だけを優先に外資に委ねていいものではありません。日本の水資源は管理能力が高い日本の水道局と民間企業が手を組んで、山から水をひく水道事業を日本各地でやることが理想だと断言します。

第7章

日本の発展を阻む「科学の敵」

19

科学技術は「ざんねん」なのか

科学の進歩で人類が受けた4つの被害

環境問題を皮切りに、「科学技術の進歩が環境を破壊する」とか「リサイクルをしよう」とか「地球に優しい」という言葉がかつて流行しました。私の仕事のひとつはその誤解を解くことにありました。そのおかげで日本社会が科学に対して疑いの目を持ったことに間違いはありません。

そして科学技術の評価はその後、大きくふたつに分かれています。

ひとつは政府が進めている「科学技術基本計画及び科学技術・イノベーション基本計画」のように、「日本の競争力を高めるためにさらに科学技術を進めよう」という動きです。また、ＳＤＧｓやＡＩなど科学技術を積極的に活用しようとするのもそうでしょう。

もうひとつは、科学技術が環境を悪化させ、人類の文化を破壊するという、その進歩に否定的な人たちです。

このふたつの意見が年々、鋭く対立してきたように見えます。それも慎重にデータを調べたり、議論したりするのではなく、多くは先入観や利害関係、そして感情論が多い。
そこで包括的ではありますが、「科学は人類に貢献したか?」を20世紀の日本を中心にして振り返ってみましょう。

科学技術が進歩したことによって、人類が被害を受けた大きなものを4つあげます。

①戦争の死者数が膨大な数になった
②資源の枯渇が極端に早まった
③家庭が崩壊した
④不安が増大している

科学技術が発展する以前、刀剣で戦っていた戦争が、第二次世界大戦では自動小銃、爆撃機、原子爆弾などの「大量殺戮兵器」が登場し、実に全世界で6000万人の死者を出しました。

特にアメリカ軍がおこなったドイツや日本の都市への無差別爆撃、広島・長崎への原子爆弾の投下、ドイツ軍がおこなったソビエト侵攻など、非戦闘員である民間人の犠牲も否定できない悲劇です。これはもっぱら科学技術の責任です。

世界の資源はまだ枯渇していませんが、日本では足尾銅山が枯渇した。徳川幕府が開かれたときに始まった足尾銅山は、もし削岩機やベルトコンベアーなどがなければ800年はもったのに、わずか30年で枯渇しました。

かつて世界で一番の産銅国家だった日本の銅山はすべて枯渇してしまったのです。日本国民は足尾銅山の産銅速度が高くなったことによって恩恵を受けましたが、その枯渇を早めたのは科学技術でした。

日本人の第一の生き甲斐(がい)は「家庭」であり、「仕事」「国家」「趣味」などをはるかに超えていました。家電製品の普及によって家事労働が軽減し、コンビニなどが発達して、家庭を維持するのが容易になりました。その結果、「おひとり様」である単身者が増加し、個人がバラバラに行動するようになり、家庭が崩壊しつつある。これも科学技術の影響が大きいでしょう。

地震や大規模災害などへの不安はかつてないほど大きくなっています。本来、科学技術の発展は社会の安全を確保するものなのに、そうなっていないところに科学技術の歪みがあります。

科学技術、3つの貢献

これに対して、科学技術が人類や日本人に貢献したと考えられることも3つあります。

①寿命が長くなり健康になったこと
②物質が豊かになったこと
③みんなが豊かになったこと（すべての人が王様）

日本人の平均寿命は1920年には42歳だったのが、2022年には84・55歳と倍になりました（厚生労働省「令和2年都道府県別生命表の概況」）。平均寿命が長くなる理由は、医学の進歩もさることながら、栄養、衛生、情報などの寄与が大きい。

食物が豊富になり、冷蔵庫や殺菌剤が発達し、テレビやネットなどで危険を知ることができるようになると、それだけで寿命が延びるのです。

現在の日本人は、「大病」をしないで70歳ぐらいまでは、ふつうに生きます。いかに健康になったかがよくわかります。これは科学技術の進歩による貢献です。84歳と42歳ということは人生が約2倍になったことを意味しています。

「物」が豊かになったことは誰もが否定しない事実でしょう。スマホや冷蔵庫や洗濯機、テレビ、自動車などの便利さを私たちは享受しています。脱プラスチックといわれても、ポリ袋がないとずいぶん不便です。欠点はあるにしても、物の恩恵を受けていることに間違いはありません。これも科学技術の進歩によるものです。

もうひとつ大事なことは、科学技術が進歩しないと、その恩恵が一部の人にしかいかなくなることです。人類が社会をつくって以来、世界の国民のほとんどが「貧民」だったことを想起してください。それに比べると現在の日本は「全員がお殿様」のような生活といっても過言ではない。これも科学技術のもたらした恩恵です。

もちろん、これらは私見であり、科学技術がどの程度、人類に貢献したかは人によって違うでしょう。でも私は科学者でありながら、やや懐疑的であります。しかし、かくいう私も100年前の平均寿命なら、すでに世のなかからいなくなっている存在です。

ところで、ここで上げた3つのよいところを残して、4つの悪いところをなくす方法はないでしょうか？　すなわち戦争を止め、物を大量に使うのを止め、家族を大切にし、安全な環境づくりをする方法はないのでしょうか？

それは実は簡単なことです。なぜなら「科学技術は人類に貢献したか？」という問い自体が無意味だからです。本来の問いは「私たちは科学技術を、私たちの希望に沿って使ったか？」でなければならないからです。もし科学技術を私たちの希望に沿って使っていないとすれば、それは科学技術の責任というより政治、経済、哲学の問題だということです。19世紀の最初までは科学者は善良で正直な人種と見られていたことをもう一度顧みるべきでしょう。

20 日本の技術力の敵

真の権力者はメディアか

リサイクルを推進した朝日新聞のように、日本で「権力」を握っているのは「政府」よりもメディアなのではないか、と思うことが多々あります。その典型例のひとつが新型コロナウイルス事件です。一連の報道によって政府が「メディアが伝えること」以外の対策は、一切行動できないことが明らかになりました。

もう少し厳しくいえば、現在の政府、政治家、および官僚は、メディアが報道を通して日本社会に生じさせた空気のなかで、「自分がどうしたら得をするか」だけを考えている人の集団に見えます。

産業界も同様で自分たちの行動原理が補助金をもらえるとか、融資が受けられやすいなどが判断の基準になっています。

温暖化やＳＤＧｓなどへの狂乱ぶりを目撃すると、本気で考えている政治家や実業家は極めて少数だとわかります。ほとんどの人の判断は「みんなが言うから」か、「バスに乗り遅れたくない」というふたつの行動規範に基づいているのです。

つまり、現代の日本で指導的立場にある多くの人たちのなかで、山積する課題について日本として「どうするべきか」を真剣に考えている人は少ないといわざるを得ません。

逆にいうと、メディアが何を、どう報じるかが重要だということです。

恐怖の報道のほうが視聴率は高い

ところでテレビ業界には「楽しい内容と恐怖の内容であれば、恐怖のほうが３％視聴率が上がる」という鉄則があります。

そのため真実を伝えようという報道精神をすっかり失っているテレビ局は、視聴率を稼ごうとイージーに恐怖をあおっています。

科学の常識では明らかにおかしなことでも恐怖の内容へと加工する。ですから環境問題でも、石油が足りなくなる「石油枯渇」と、石油など化石燃料による温暖化ガスの排出を問題とする「温暖化」という、相矛盾する危機を同時に注意喚起するような愚かな指導層が続出したりするのです。

ちなみに1972年に起こった「石油ショック」は1986年の時点で、国際石油資本の仕掛けたものだということが暴露されています。そして、それに代わって出てきたのが「温暖化騒動」でした。

すでに「間違っていた」とわかっている石油枯渇、ダイオキシン、森林破壊、砂漠化や、詐欺的な騒動だった環境ホルモンなどがはっきりと訂正されないまま記憶に残っています。この一方で、温暖化、巨大地震、食品安全、新型コロナ、金融崩壊など新たな脅威がテレビで放送され続けて、日本人の頭はますます暗く、消極的になる一方です。

仮に世界の指導的な立場の人たちが理性的であって、かつ一定の速度で文明が進歩していたとすれば、未来の社会はより安定で安心できるものになるはずです。ところが、これも真逆になっている。

人間の頭脳は、それほど複雑に物事を考えられるようにできていません。自分の健康、家族の幸福、友人の状況などを基礎として、社会の安全、将来の不安などがないことによって、明るい毎日と積極的な社会が生まれるものです。

少し前の国連の調査を見ると、世界で「自分は幸福だ」という国民の割合が多い国の第一位はベトナムでした。日本より経済的には恵まれていなくても、「今日より明日がよくなる」という気持ちをベトナム人は持っているといいます。

人間は現在より近い未来に期待をして生きているものです。特に慎重な人が多い日本人は未来に不安があると明るくなることができません。それを知ってか知らずか、メディアや知識人は日本人を不安に陥れることで一生懸命になっているように見えます。

こんな人たちの垂れ流す言動に自分の一生を不安にさせられるのは、考えてみればバカバカしい話ではないでしょうか。

民間企業の邪魔をする政府機関

私が現役の頃の話です。中央教育審議会、科学技術・学術審議会、原子力委員会などのほか、小さい委員会を入れると、かなり多数の委員会で委員を務めていました。小泉純一郎政権時には内閣の総合科学技術会議（現・総合科学技術・イノベーション会議）や日本学術会議などにも若干関係しています。

これらの委員会は、日本の科学技術教育、科学技術政策、原子力政策、技術立国日本の基本政策などを決定するもので、もし正常に機能したら、大きな成果を上げうる機関ではありました。

しかし重要会議の内容は極めてお粗末で、むしろ民間の発展を阻害し続けていたといってよいシロモノです。

一民間の科学者であり、勲章にも年金にも関係がない著者だからこそ書けることがあります。

あるときNHK放送大学で講演をし、「森林はCO_2の増減には関係がない」と話したら、そこにおられた総合科学技術会議委員の高名で誠実な先生が驚いて、「そんなことがあるのか？」といい、かつ講演が終わった後も重ねて質問をしてきました。

当時、日本は地球温暖化対策で諸外国に対して、「森林の効果でCO_2を2・9％減少させる」と国際的に約束しており、政府もメディアも専門家もそれが当然のこととして進めていたのです。

しかし私は次のように考えてました。

森林は昼間は光合成でCO_2を吸収するが、夜間は太陽の光がないのでもっぱらCO_2を排出する。一日全体で考えれば、樹木が成長する分しかCO_2を吸収していない。また樹木は最初は小さなものであるし、枯れたらやがて土に返る。つまり森林というのはCO_2を吸収もせず排出もしないのでないか?

私は自分の見解を確かめるために、森林総合研究所と岐阜大学の専門の先生に電話して見解を求めました。同研究所のホームページに「森林はCO_2を吸収する」と書いてあったからです。ところが電話でふたりの先生に直接お聞きしたところ、「実は研究費などの関係でウソを書いた」といわれたのです。

繰り返しますが、科学のような自然を対象物としている学問にウソは通じません。必ず真実が露見します。そんなことは科学者なら当然理解しているはずのことなのに、日本のトップの科学会議、国立研究機関、大学などが、そろってお金のためにウソをつくようになってしまった。

このようなことは現在の日本では常態化していて、大学の学生の卒業研究修士論文などにも及んでいます。現在の課題が解決しないばかりか、将来、不誠実でウソをつく研究者を輩出することになり、日本は滅びの道に進むでしょう。

科学技術の原動力は「誠実・恩義」の心

科学への大きな誤解は、「科学には物理や計算の力ばかりではなく、誠実、恩義が大切」だということです。これはなかなか納得できないと思います。しかし著者が長い人生のなかで多くの科学者、技術者を見てきたことからも、また自分自身の研究を考えても、科学や技術の進歩は「具体的な知識」よりも、「誠実・恩義」こそが科学技術の進歩の原動力であると確信しています。このことは声を大にして伝えたい。

自分のことで恐縮ですが、私の著作の一部が高等学校の国語の教科書に掲載されています。川端康成、中原中也、夏目漱石などの偉人と並んで掲載されたことは、著者の生涯の誇りです。その選定委員会における委員長の発言は「科学者であって人間のことを考えている人の文章を初めて見た」というものでした。

科学の課題の一つひとつは、見かけ上は自然界の現象であり、人間社会や人の幸福とは一線を画しているように見えます。

しかし科学技術というものは極めて多岐にわたるもので、ひとつの研究、ひとつの技術は、それが完成するまでに複雑な紆余曲折（うよきょくせつ）があるのです。その一つひとつに思想的な考えが入る余地はない。ですが課題を解決していくためには人間の頭脳の奥深く、「どのような視点で対象物を見るか」が決定的な必要事項です。それが研究を成功に導くのです。

もしかすると、人間は「科学技術の成果」というものを、純粋に科学技術として捉えているわけではなく、それがもたらす長い歴史上の影響を同時に見ているのではないでしょうか。つまり私たちが「素晴らしい科学的進歩」と直感的にしろ感激するのは、それが「誠実・恩義」のなかにあるからではないか、とも思うほどです。

今日、日本の研究者、技術の従事者、そして政策決定者やメディアは残念ながら、「誠実・恩義」より「自分にとって有利か、お金、地位、名誉、経緯」などを重んじているように見えます。

一つひとつのテーマに対する態度、それを進めるときに岐路になる瞬間、研究者やメディアの記者、それに政策関係者はどれほど純粋に科学技術だけを考えているでしょうか？正確な割合はわかりませんが、私には「誠実・恩義」でものを考えている人は多くても2割、厳しくいえば「見つけるのは難しい」というほどではないかと思います。

しかし、一昔前の日本人はそうではなかったのです。

職人の心意気を取り戻せ

私は一途に「競争と拡大」だけを目指してきた研究を打破できないかと、もうずいぶん前から「自然と伝統に学ぶ」という活動を進めてきました。

ふつうに大学で自然を学んだり、生物の自己的な修復活動を研究したりするかたわら、大学の外に出て、日本の伝統的な技やアイヌの文化なども学びました。

「ものづくり」がもてはやされた過去とは裏腹に、日本の伝統の技は今や消える寸前です。日本の伝統の技を職業としている各地の職人さんの多くは高齢で、現代の生活の中で受け入れられる彼らの工芸品の種類は少なくなっています。

そういう逆境にあっても、宮大工、和紙の職人、金細工、そして漆や刃物の職人たちは黙々と最後の火をともし続けているのです。

彼らから学ぶことは多く、その技術には感嘆しました。

その研究を続けて気づいたことがあります。

それは「名人は栄達を望まない。それどころか栄達を口にし、心に浮かべるだけでも汚らわしいと心底、思っている」ということです。

かつて日本の支配階級だった武士はお金とは一切、切れた関係を保っていました。お金に接すること、銭勘定をすることは忌避すべきことでした。その伝統は今、職人たちに引き継がれています。

ある人間国宝は、自分が国宝に指定されたすぐ後、それまで使用していた普通の乗用車を軽自動車に乗り替えました。それは「人間国宝に指定される」という「栄達」を嫌う彼なりのパフォーマンスのように思えます。

また、ある宮大工は、いつもみすぼらしい格好をし、よれよれの帽子をかぶってブラッと現れた。彼の建築物はすばらしく、おそらく値段をつければ天文学的なのでしょうが、彼はそんなことはおくびにも口に出さず、ただ彼が使う木材の湿度のことだけを熱っぽく語っていました。

どんな職人も簡素な格好をし、何もない畳の部屋に座り、黙々と作業をする。人の前に出るのはそれほど得意ではなく、夜、肴(さかな)を持ち寄って仲間と一杯傾けるのをささやかな楽しみにしている。

体で生き、体で楽しみ、そし自然のなかに生きる。作業に熱中し、世の栄達を望まない。

いや、望まないのではなく、栄達を忌み嫌っているのです。

このような職人たちに支えられて、日本はひとつの国が2000年も続いたという世界で最長の歴史を誇ります。日本人の心のなかには「日本」という国家意識が強力にあります。それこそが「誠実・恩義」の元になっているのです。

一方、2020年のアメリカ大統領選挙では――真偽のほどは不明ですが――不誠実な票があったとされます。これについてあるアメリカの高官は「まだ我々の国は歴史が浅く、『国民が統一して選挙の不正はとがめられるべきだ』という道徳に至っていない。もう少し時間がかかる。アメリカは世界で一番強い国かもしれないが、その歴史と正義においては残念ながらそこまでいっていない」と残念がっておられたのが印象に残っています。

まさに日本がこれまで繁栄してきたこと、それは日本人に脈々として続いてきた「誠実・恩義」の心でしょう。

日本大失敗の本質は「教育」

日本の失敗の本質は「教育」です。戦後の日本の教育の欠陥は議論の余地のないほどはっきりしています。それは、教育の三原則を失っているからです。

教育の三原則とは、

① 人格教育
② 思考力
③ 知識・技能の習得

かつて人間に身分差があった時代には、貴族は自ら決定、覚悟しなければならないので、「人格の涵養(かんよう)」と「思考力の鍛錬」がもっとも大切でした。

このふたつの教育目的がともに大切であることは論を俟(ま)ちません。同時にともに抽象的で、その方法や評価なども難しいものです。

人格は「これを教えればよい」というものはなく、優れた伝記や古典などを通じてジワリジワリと子供の人格を高めていく必要があります。

思考力は「丸暗記」と正反対で対象物そのものを理解するだけでなく、それらの組み合わせがどういう結果をもたらすかを導き出すものです。教材も、教育も、特別な工夫を要します。

これに対して、具体的な知識（国語・算数・理科・社会）や技能（スポーツ、ピアノ、絵画、工作、電気配線、機械加工など）の習得は学習の対象が明確で、方法も決めやすい。子供によってその能力に大きな差があり、しかも「満遍なくできる」ことより「その子供の才能を伸ばす」ことが求められます。

欧米的な表現を用いれば「潜在能力を引き上げる」という意味合いが強い。たとえば陸上１００メートル走が極めて速い子供だとします。その子供が球技が下手だから無理やりやらせることはしない。走る才能を伸ばすようにするのは当然です。ところが現代の日本の知識・技能教育がしているのは、「国語・算数・理科・社会」の平均点を取って「学力」を評価する方式。これでは、「知識・技能」は「教え込む」のではなく、本人の才能を「引き上げる」ことが大切である大原則を忘れています。

小説家は算数の計算が早いかは問われず、電気技術者は文章に含みがあるのはむしろ欠点になることでもわかるように、社会は多様な人材を求めるものだからです。

「日本はこうする」という思考力をみがけ

日本の教育の欠陥は、すでに高度成長の最後の段階で強く意識され、80年代に新しい教育が研究され、それが90年代に「ゆとり教育」という形で社会的な課題になりました。提案の初期には、教育界のみならず、政界、産業界、文化人などもこぞって「ゆとり教育」を支持したにもかかわらず、実際に実施してみると「知識・技能」が低下したという理由で、たちまち社会は180度踵（きびす）を返し、「大反対」の合唱になりました。

そして再び日本の教育は「知識・技能」に戻り、小学校では「取り得＝学力、体力、ピアノなど」が強調されるようになって、子供は自分に取り得があるか（知識・技能が優れているか）ということになってしまった。

しかし、現在の日本経済の衰退は、明らかに日本人の「人格の低さ」と「思考力の低下」に起因しています。社会の上層部においては、政治家が国家理念を語れず、国民に補助金などの目の前のインセンティブを与えるようになり、経済界は粉飾決算や欧米追従などに陥りました。

「欧米が右と言えば右」「バスに乗り遅れるな」「日本は劣等国である」という考えや意識が進み、かつての日本を支えていた「日本はこうする」という思考力をまったく失ってしまったのです。

それを取り戻すことが日本復活のカギを握っているでしょう。

おわりに

日本の技術復活を担う「量子力学」

低迷する日本の技術のなかにあって、実は量子科学の芽が拓(ひら)こうとしています。

光が波と粒子の両方の性質を持つことを証明したスリット実験で示されたように、量子レベルでは時間の逆転が起こることがわかっています。瞬間的な時間逆転であっても、超安全な高速移動エレベーターなどをつくることができるし、医療にも応用できる。

量子力学の物理的実態より情報が先という結果を利用して、実態の復活を図ることもできる。

太陽から放射されている膨大な光は、太陽のエネルギー全体の100分の1にしかすぎない。光子以外のエネルギーの補足に成功すれば、エネルギーの危機は完全になくなる。

このように量子科学には多くの可能性があるのです。

21世紀に入ってから、ノーベル物理学賞の多くは量子科学であり、日本の受賞者も多い。

高度成長時代なら、大学でも、そしてトップ企業の中央研究所なども量子科学の研究をスタートし、それが学会やメディアを通じて発表されている時期でしょう。社会がまだぼんやりしている頃が基礎研究のスタート時期です。それを逃すと世界の競争には勝てない。そのことは巨大ＩＴ企業ＧＡＦＡの創業時にもあったことでした。

第一部で述べたように、日本は約5万年前の旧石器時代から石器加工、砥石(といし)、加工工場は世界一で、縄文時代に入っても世界初の土器、煮炊きに使用する土器なども圧倒的に先行していました。有史時代に入っても、最古の木造建築、最大の建築物、最大の銅の鋳造物など世界の先頭を切っていました。

その伝統は輸入技術であっても鉄砲の生産、数学（和算）の発達、江戸末期の外国の科学書の翻訳、日露戦争時の下瀬火薬や伊集院信管へと続き、そして「Japan as No.1」といわれた高度成長期の技術まで日本は常に世界の最先端にいたのです。

日本の技術が世界に後れを取るようになったのは、ここ20年にすぎず、まだまだ機械電機のレベルが世界一にある若い男性の力は落ちていません。

後退的な思想や横並びの序列、あるいは特徴もなければ欠陥も少ないという人材の重用などが危険なのです。個性を重んじ、少し乱暴であっても先頭を切る人材の養成と登用をすれば、必ず世界のトップに出ることができると考えられるのです。

それには、科学的に無意味な環境対策、小学校の英語教育、学校における平均点評価の中止などを早速始める必要があるでしょう。

日本でも大学入試のない高等専門学校生の方が学力の高いことは、客観的に証明されています。受験疲れと意味のない試験問題の弊害は大きい。大学受験が日本人の誠実さや学問的な力をかなり大きく損なっていることは確かでしょう。

そもそも受験戦争に血眼（ちまなこ）になっているのは発展途上にある国々です。

すでにアメリカ、ヨーロッパは基本的には大学受験はありません。高校時代の数回のテストのスコアを使うか（アメリカ方式）、それとも大学はすべて同じでどの大学も行けるようにするか（ドイツ方式）、さらに全廃（フィンランド方式）があります。日本は日本方式でよいので、誰でも希望すれば大学に行けるようにすればいい。その代わり卒業するには、科目ごとの試験を通らなければならないようにする。

夏は沖縄の大学、冬は北海道の大学などで勉強して視野を広めさせるのもいいでしょう。基本的には「大学は大学生のためにあり、国家のためではない」ことと「大学を卒業しているだけでは学歴として意味を持たない」ことを再認識しないと、本当の教育はできません。

事実、日本の教育は大きく失敗し、誠意がなく狡さだけに長けている人を大量につくり出してしまった。ですから20年間技術の進歩がなかった日本は、教育制度の改革に着手すべきです。

もうひとつ、最後に指摘しておきたいのは、現在の日本の矛盾と閉塞感は、ヨーロッパ近世に誕生して成長した思想、文化、社会、科学などをすでにそれが成熟して別の骨組みになっている社会に無理矢理当てはめようとする作業からきているのです。

日本人は生来、厳しい実存主義者であり「あるものはある」「すでにかくあるものを、そうではないとしても意味がない」という信念を持っています。半面、欧米に比べて論理性において劣っている。それでも日本人特有の厳しい実存主義は、現代のように矛盾だらけで論理が崩れた社会にあっては、論理性のある社会よりも強く生き延びると断言できるのです。

この点からも日本人は悲観する必要はありません。

この「ざんねんな技術」を生む背景にあるものが何なのか。それは技術そのものが問題でないことは本書で繰り返し説いてきたつもりです。それを打破するためにも教育が重要であることを重ねて、この本の締めくくりにしたいと思います。

[著者略歴]

武田 邦彦（たけだ・くにひこ）
1943年東京都生まれ。工学博士。東京大学教養学部基礎科学科卒業。その後、旭化成ウラン濃縮研究所所長、芝浦工業大学工学部教授、名古屋大学大学院教授を経て、中部大学教授。世界で初めて化学法によるウラン濃縮に成功し日本原子力学会平和利用特賞を受賞、内閣府原子力委員会および安全委員会専門委員などを歴任。原子力、環境問題をめぐる発言で注目されている。また高校教科書『新編現代文』（第一学習社）にエッセイ「愛用品の五原則」が掲載されるなど文系の分野においても活躍中。
著書に『幸せになるためのサイエンス脳のつくり方』（ワニブックス）、『これからの日本に必要な「絡合力」』（ビオ・マガジン）、『武器としての理系思考』『「新型コロナ」「EV・脱炭素」「SDGs」の大ウソ』（ビジネス社）など多数。

編集協力／佐藤春生

歴史の大ウソを打破する日本文明の真実

2024年5月1日　第1刷発行

著　者　武田 邦彦
発行者　唐津 隆
発行所　株式会社ビジネス社
〒162-0805　東京都新宿区矢来町114番地 神楽坂高橋ビル5階
電話　03(5227)1602　FAX　03(5227)1603
https://www.business-sha.co.jp

〈装幀〉大谷昌稔
〈本文組版〉茂呂田剛（エムアンドケイ）
〈印刷・製本〉大日本印刷株式会社
〈営業担当〉山口健志
〈編集担当〉本田朋子

ISBN978-4-8284-2621-1